D1127380

Alev Tekinay

Es brennt ein Feuer in mir

Alev Tekinays Erzählungen versetzen uns in eine Welt zwischen Alltag und Traum. Im Mittelpunkt steht die – oft schmerzhafte – Begegnung zwischen Orient und Okzident.
Wie bereits in ihrem Erzählband *Die Deutschprüfung* spielt Alev Tekinay auch hier nicht die Kulturen gegeneinander aus, sondern sucht nach dem Verbindenden. Dabei erweist sie sich als scharfe Beobachterin und ironische Kommentatorin, die ihre Leserinnen und Leser zugleich in spannende Geschichten zu verwickeln versteht.
Gekonnt baut sie auch in diesem neuen Erzählband Brücken zwischen der deutschen und der türkischen Kultur, über die es sich zu gehen lohnt.

»Alev Tekinays Erzählungen sind sensible Plädoyers gegen Borniertheit und kulturelle Engstirnigkeit auf beiden Seiten.« (M. Chobot, ORF Wien)

Die Autorin:
Alev Tekinay, geb. 1951 in Izmir, deutsches Abitur, studierte in München Germanistik. Seit 1983 Universitätsdozentin in Augsburg. Wissenschaftliche Aufsätze, Lehr- und Wörterbücher, zahlreiche literarische Veröffentlichungen. Bei Brandes & Apsel erschien ihr Erzählband *Die Deutschprüfung* (2. Aufl.). Literaturpreis des Münchener Instituts für Deutsch als Fremdsprache. 1990 Adelbert-von Chamisso-Förderpreis.

Alev Tekinay

Es brennt ein Feuer in mir

Erzählungen

Brandes & Apsel

Auf Wunsch informieren wir regelmäßig über das Verlagsprogramm.
Eine Postkarte an den Brandes & Apsel Verlag,
Nassauer Str. 1-3, D–6000 Frankfurt a. M. 50, genügt.

CIP-Titelaufnahme der Deutschen Bibliothek

Tekinay, Alev:
Es brennt ein Feuer in mir : Erzählungen / Alev Tekinay.
1. Aufl. - Frankfurt a. M. : Brandes und Apsel, 1990
(Literarisches Programm ; 17)
ISBN 3-925798-67-6
NE: GT

literarisches programm 17

1. Auflage 1990

Umschlaggestaltung: Volkhard Brandes
Umschlagfoto aus: Wendy Buonaventura. Bauchtanz. Die Schlange und die Sphinx, Frauenbuchverlag, München 1984
Druck: Fuldaer Verlagsanstalt, Fulda
Gedruckt auf säurefreiem und alterungsbeständigem Papier

ISBN 3-925798-67-6

Inhalt

Jakob und Yakup

Wie Kriegstrommeln klang der ferne Donner. Der Himmel wurde dunkel und erhellte sich wieder. Glühende Blitze blendeten die Stadt, zuckten auf hinter den dunklen Schatten der Hochhäuser.

Gewitternächte nach heißen Sommertagen. Die Hitze war meist nur von kurzer Dauer. Die Hitze, die alles in einem Dunstschleier verschwimmen ließ, das üppige Grün der Wälder, die bleigrauen Seen und die mächtigen Berge. Alles war nur noch schemenhaft erkennbar.

Ein bayerischer Sommer wie jeder andere. Dennoch erlebte ihn Jakob Klein nicht wie einen gewöhnlichen Sommer. Aus unerklärlichen Gründen war dieser Sommer für ihn voller Zauber und Geheimnisse.

Jakob wohnte allein in einem Doppelzimmer. Der angekündigte Zimmernachbar war noch nicht da. Auch im Studentenheim war Jakob fast allein. Viele Kommilitonen waren entweder nach Hause oder in Urlaub gefahren. Nur wenige Studenten waren noch da, die wie Jakob für das Examen lernten oder jobbten.

Man begegnete sich im Gemeinschafts- oder Fernsehraum. Was die Sendungen betraf, die die Anwesenden sehen wollten, gab es in den Ferien kaum Probleme, weil nur noch wenige Studenten da waren. Manchmal wurde auch geknobelt. Wenn die Studenten Glück hatten, konnten sie sich das Fußballspiel oder das Wirtschaftsmagazin anschauen. Wenn aber die Studentinnen Glück hatten, gab es meist einen alten deutschen oder österreichischen Spielfilm im Regionalprogramm zu sehen. Manchmal auch etwas aus Hollywood, ab und zu sogar aus Frankreich. Un homme et une femme. Mit einer Hintergrundmelodie im Herzschlagrhythmus.

Zwar hielt Jakob normalerweise nichts vom Fernsehen, doch in dieser Zeit war er abends so müde, daß er sowieso nichts anderes anfangen konnte, als vor dem Kasten zu hocken und die bunten Bilder an seinen Augen vorbeigleiten zu lassen. Irgendwie liebte er auch die häusliche Atmosphäre des Studentenheims in der vorlesungsfreien Zeit, wenn da kein Massenbetrieb war. Er liebte es, wenn die Mädchen beim Fernsehen strickten und zwischendurch miteinander redeten. Er liebte es auch, wenn die Studenten bei jedem geschossenen Tor »Tor!Tor!« schrien und diskutierten, ob die »Löwen« noch zu retten seien. Die meisten waren aber Fans von Bayern München. Manchmal stritten sich auch die Fans von Bayern München mit den Anhängern des FC Landsberg.

Jakob verstand nicht viel vom Fußball. Dennoch hockte er vor dem Kasten, schluckte sein kaltes Bier und stellte immer wieder fest, daß er das gemütliche Beisammensein richtig genoß.

Manchmal schaute er den Studenten auch beim Kartenspielen zu, und wenn die Spieler aufgeregt auf die Tische schlugen, lächelte er darüber. Wie kindisch, dachte er.

Er blieb bis zum Sendeschluß im Fernsehraum, weil er nicht allein in seinem Zimmer sein wollte. Aber irgendwann, spätestens nach Mitternacht, mußte er doch die Treppe zum dritten Stock hinaufklettern, zum Doppelzimmer 302, das er zur Zeit mit niemandem teilte.

In den warmen Sommernächten, in denen es in zahllosen blauen Farbtönen wetterleuchtete, saß er allein in seinem Zimmer, allein mit sich selbst. Plötzlich gefiel ihm aber auch das Alleinsein, er genoß die Einsamkeit wie die Nähe der Kommilitonen im Fernsehraum.

Jakob Klein wußte, daß die Regenperiode, die der ungewöhnlichen Hitze folgte, nicht mehr lange auf sich warten lassen würde.

Im Garten des Studentenheims blühten kniehoch Margeriten und andere Wiesenblumen. Wenn der heiße Wind über das Gras strich, leuchtete die Wiese in tausend Farben, und Jakob empfand, daß die Blumen nicht nur Düfte, sondern auch Gefühle und Gedanken aussandten. Es war kein Garten, sondern fast ein richtiger Wald, durch den ein Bächlein floß, ein Seitenarm des Lech. Durch das kühle Wasser glitten schattenhaft kleine Fische. Im Winter fror das Bächlein oft zu. Doch jetzt, im Sommer, waren da viele Enten, auch Seemöwen und Schwäne, vor allem aber exotische Wasservögel, die Jakob dort noch nie gesehen hatte. Es war sowieso der merkwürdigste Sommer, den Jakob je erlebt hatte.

Er lernte fleißig für das Examen, war aber zugleich irgendwie faul, fast träge. Wenn er morgens aufwachte, hatte er selten Lust zum Aufstehen. Er lag im Bett, starrte mit leeren Augen auf die

Zimmerdecke, und wußte nicht, was er mit dem neuen Tag anfangen sollte. Da die Cafeteria des Studentenheims in den Ferien geschlossen war, mußte er bis zum nächsten Bäcker radeln, um für das Frühstück frische Brötchen zu holen. Zeitungen kaufte er nicht, weil er den Kontakt zum Weltgeschehen verloren hatte.

Im Kühlschrank der Gemeinschaftsküche bewahrte er meistens einen ranzigen Butterrest oder ein paar trockene Scheiben Emmentaler auf. Da es ihm zu umständlich war, Kaffee zu machen, kochte er etwas Wasser auf, in das er dann einen Teebeutel hängte. Da er oft vergaß, sich Zucker zu kaufen, lieh er sich welchen von Rolf, bis dieser eines Tages sauer wurde und seinen Zucker zu verstecken begann. Dann fand Jakob Manfreds Zuckerdose auf einem Regal und legte für jedes Stück Würfelzucker fünf Pfennig in Manfreds Schublade, damit er nicht ebenfalls auf die Idee komme, seinen Zucker zu verstecken.

Die Kondensmilch bekam Jakob dagegen umsonst von Babsi, deren Annäherungsversuche er jedoch übersah. Jakob hatte nicht vor, sich zu verlieben, obwohl er Babsi recht hübsch fand.

Jakob betrachtete das Frühstück als Zeitverschwendung und hatte morgens auch selten Appetit. Und wie das Frühstück empfand er das Rasieren als Qual und unnötige Zeitvergeudung vor dem Spiegel.

Nein, Jakob hatte nichts gegen den Spiegel. Im Gegenteil. Er liebte dieses kristallklare Glasstück, aus dem ihn sein Spiegelbild mit forschenden Blicken anstarrte.

»Wer bist du?« fragte dann Jakob Klein dieses nachdenkliche Gesicht, als ob er in sich eindringen wollte.

Nicht gegen den Spiegel, sondern gegen die Rasur hatte er etwas. Das Summen des elektrischen Apparats machte ihn nervös. Es waren verlorene Minuten, die er besser für seine Examensvorbereitung hätte nutzen können. Deshalb hatte er auch seit einigen Wochen aufgehört, sich zu rasieren. Er ließ den Bart wachsen, und wenn er sich im Spiegel betrachtete, gefiel er sich immer mehr. Immer häufiger blickte er in den Spiegel und betrachtete seine Gesichtszüge, seinen Wuchs: Jakob Klein, mittelgroß bis groß (1,76), Haare: zwischen dunkelblond und braun, Augen: zwischen grün und braun. Etwas hochsitzende Wangenknochen und ein werdender Vollbart.

Im Hintergrund die Donnerschläge der heißen Sommernächte, die Jakob allmählich Unruhe einflößten. Und auch Angst. Angst vor dem Examen? Die Angst vor – vor – vor, ja, wovor denn, Jakob Klein? Noch nie bist du so gerne alleine gewesen, und noch nie hast du dich so sehr nach Gesellschaft gesehnt.

Jakob wußte, daß er irgendwann einen Zimmernachbarn bekommen würde. Einen aus Kempten oder Memmingen, dachte er, vielleicht aus Sandheim, seinem Heimatdorf.

An Wochenenden radelte er manchmal, wenn er sich dazu überwinden konnte, an einen See. Immer häufiger an den Ammersee. Er liebte die Farben des Wassers, die sich manchmal so schnell änderten. Und die kleinen Dörfer am Ufer, die wie ferne weiße Traumbilder auf der glatten Oberfläche des Wassers zu schwimmen schienen. Eine Welle folgte der anderen, und Jakob Klein lauschte bezaubert der Schilfmelodie. Manchmal ging er auch ins Wasser. Seine Fußsohlen berührten den schleimigen, lehmigen Sand am Seegrund. Er ging meterweit, und doch blieb das Wasser kniehoch. Die unermeßliche Weite, nach der er sich sehnte, fand er nicht. Er fühlte sich bedroht von den grauen Wolken, die sich am Horizont stauten und fast das schmutzige Grau des Wassers berührten. Zuweilen versteckte sich die Sonne, und es fielen große Regentropfen, die die Oberfläche des Wassers wie die Schüsse eines Maschinengewehrs durchlöcherten. Keine Kieselsteine leuchteten vom Grund herauf, das Wasser blieb geheimnisvoll trüb.

Eine Frau, die einen breiten Strohhut und eine Sonnenbrille trug, lag auf einem Liegestuhl und las eifrig in einem dicken Buch. Es muß ein Märchenbuch sein, dachte Jakob. Plötzlich zitterte er. Nein, nicht von der Kälte der plötzlichen, unerwarteten Regentropfen, sondern vor der Examensangst, die Jakob selbst in solchen Augenblicken nicht in Ruhe ließ. Es ist noch lange hin, versuchte er sich zu trösten, es ist erst August, und die Prüfungen sind im November.

November... Im November würde er einen Zimmernachbarn bekommen. Ich werde dann nicht mehr so allein sein, tröstete er sich weiter und lächelte zugleich: Ein Landsmann aus Kempten oder Memmingen, meinetwegen aus Günzburg oder Landsberg am Lech, oder sogar aus Sandheim, meinem Heimatdorf. Ein Jurist möglicherweise, wenn nicht ein Physiker oder gar Informatiker.

Jakob Klein war ein Germanist mit Leib und Seele. Er kannte alles. Einfach alles von den Merseburger Zaubersprüchen bis Wolfram von Eschenbach und Walther von der Vogelweide, und über Novalis und Hermann Hesse bis Peter Handke und Gabriele Wohmann. Und auch Max Frisch. Aber besonders Hermann Hesse. Er kannte sich sogar in den neuen Strömungen aus, er wußte auch über die sogenannte Gastarbeiterliteratur Bescheid.

Sogar die Ausländer schreiben, dachte er, während er vom Ammersee zum Studentenheim zurückradelte, und warum bringe ausgerechnet ich keine einzige Zeile zustande? Ich hätte so viel zu erzählen...

Ja, Jakob Klein, was hättest du denn zu erzählen?

Erzähle doch, Jakob.

Nein, ich kann doch nicht. Noch nicht. Vielleicht erzähle ich eines Tages meinen Schülern ein Märchen.

Ein Märchen, Jakob? Von was, von wem?

Vielleicht von einem Mann, der...

Ja, der?

Ach, ich weiß es nicht. Noch nicht.

Er drückte stärker auf die Pedale seines Fahrrads. Die Sonne ähnelte inzwischen einem riesigen, im Ammersee ertrinkenden Ball aus glühendem Kupfer. Die Landstraße lief geradewegs darauf zu, wie in ein Meer aus Feuer.

Warum erzählst du nichts, Jakob? Du wolltest doch von einem Mann erzählen, der...

Vielleicht stellte sich Jakob vor, dieser Mann säße auf einem zweiten Fahrrad neben ihm und radelte wie er selbst auf die kleine Universitätsstadt zu. Vielleicht führte Jakob Klein ein Gespräch mit ihm: Ich bin so müde. Und ich habe Angst. Was ist nach dem Examen und der Referendarzeit? Und nach dem zweiten Staatsexamen? Es ist alles so unsicher.

So radelte er weiter durch die in der Abendglut versinkende Landschaft. Es dämmerte schon in den Bergen, und die Kühle drang Jakob durch alle Glieder. Hinter ihm verschwanden die Dörfer in schimmerndem Dunst, und der Lech schlängelte sich wie ein Goldfluß im letzten Abendlicht neben Jakob her. Allmählich traten einzelne Sterne zwischen den Wipfeln der Bäume hervor. Fernab verhallte ein Gewitter, mächtiger als ein Hitzegewitter. Endlich kam auch der Mond in der Dämmerung hervor und schien über die Schatten hinweg. Etwas bewegte sich in der beginnenden Nacht schimmernd und geheimnisvoll, und Jakob wußte nicht, was es war.

Riesengroß waren die Regentropfen, die auf die Margeriten niederzuprasseln begannen. Naß stand das Gras am Straßenrand. Jakob setzte die Kapuze der Regenjacke auf und drückte stärker auf die Pedale seines Fahrrads. Die langerwartete Regenperiode hatte begonnen.

»Sauwetter«, schimpfte Rolf. Er jobbte in der Lastwagenfabrik. Nach acht Stunden Fließband liebte er es, schwimmen zu gehen oder etwas anderes zu unternehmen. Doch die für die Jahreszeit ungewohnte Kälte tötete jegliche Unternehmungslust. Abends mußte man im Fernsehraum sogar etwas heizen.

Rolf erzählte, daß es in der Fabrik viele türkische Gastarbeiter gab. »Obwohl sie seit vielen Jahren hier leben, können sie immer noch nicht gescheit Deutsch«, sagte er und machte sich über ihre Sprache lustig: Ich kommen, du bestimmt warten. Geli lachte sich tot. Rolf war ein guter Imitator: Aber Kolega, ich schon viel arbeiten.

Doris, die sich im letzten Sommer beim Jobben mit türkischen Gastarbeiterinnen befreundet und diese richtig liebgewonnen hatte, rief: »Laß doch die armen Menschen in Ruhe. Sie sind Menschen wie du und ich.«

Doris, die ihre Haare ganz kurz hatte schneiden und mit leuchtenden Papageienfarben tönen lassen, kleidete sich gerne punkartig. Aus Protest, versteht sich, gegen alles. Doris war die Neurose und der Protest in Person. Da Jakob Klein nicht einmal zum Protestieren Kraft hatte, bewunderte er Doris. Und Doris, die schon seit Monaten im Prüfungsstreß war und ihre Diplomarbeit x-mal umarbeiten mußte, weil der Professor es so wollte, wollte sogar aus Protest ihr Studium abbrechen.

»Geographie«, schrie sie, »und was dann? Arbeitslosigkeit, nichts weiter als Arbeitslosigkeit.«

Manfred war optimistisch. Babsi auch: »Wenn ich keine Stelle finde, mache ich einen Strickladen auf.«

Gelächter.

»Dann wäre aber der ganze Unikram umsonst gewesen.«

Das war Rolf, der Mathematiker, der Streber.

In Jakobs Ohren hallte noch Doris Aufschrei: Sie sind doch auch

Menschen wie du und ich. Wie du... Ich bin ich, dachte er, aber wer bist du? Nein, ich bin nicht ich. Ich weiß ja nicht einmal, wer ich bin, geschweige denn, wer du bist.

An dem Abend gab es auch im Fernsehen nichts. »Saure Gurken-Zeit«, bemerkte Geli.

»Alles ist sauer«, rief Doris, »der Regen auch. Nur Gift. Früher, in meiner Kindheit, hat meine Oma Regenwasser gespeichert, weil es gesund sein soll. Und heute? Nur Gift.« Sie zitterte kurz mit einem Gesichtsausdruck voller Angst, der dann still und wehmütig wurde: »Wir lebten damals auf einem Bauernhof...«

Jakob nickte heftig, als ob er Doris von Kindheit an kenne und mit ihr im gleichen Bauernhof aufgewachsen wäre.

Auch Jakob hatte seine Kindheit und die frühe Jugend auf einem Bauernhof verbracht, bevor er in diese kleine Universitätsstadt gekommen war.

Sandheim... flüsterte er vor sich hin. Gleich hinter dem Hof ragten mächtige Berge mit nebligen Gipfeln empor, ein blaudunstiges Massiv mit bizarren Zacken und Gräben, mit Buckeln und Abgründen. Auf den Felsen wuchs farbiges Moos. Hier und da traten die finsteren Felsenwände näher zusammen, wo Gewässer mit rätselhaften Geräuschen in die Tiefe stürzten. Morgens strich ein stärkender Duft durch die Tannen, und die engen Pfade lagen voll harziger Tannenzapfen, die Jakob als Kind oder Heranwachsender so gerne sammelte. Und im Winter ragte das Gebirge mit seinem Schneehaupt in einen grauen Himmel.

In jener Jahreszeit knisterte ein Feuer im Kamin des Wohnzimmers. Das Wohnzimmer war groß und gemütlich. Der hölzerne Fußboden knisterte trotz der dicken Teppiche so geheimnisvoll. Geheimnisvoll knarrten auch die hölzernen Treppen, die zum Dachboden führten. Dort standen die Einmachgläser, und durch das runde Fenster schien manchmal die Sonne, deren helle Strahlen sich auf den Einmachgläsern spiegelten. Der Blick aus dem Fenster fiel auf blaugrüne Tannenwälder. Das ganze Haus war mit Weinlaub umsponnen, das im Herbst wie ein rotes und doch kühlendes Feuer glühte.

Obwohl es den Bauernhof noch gab, obwohl es eigentlich noch alles gab, zog es Jakob Klein nicht mehr nach Sandheim. Es war für ihn jedesmal fast eine Qual, nach Hause zu fahren. Die Heimfahrten beschränkten sich bei ihm sowieso auf wenige Feiertage im Jahr wie Weihnachten und Ostern, vielleicht auch Pfingsten.

Plötzlich wurde Jakob von Doris Stimme aus den Gedanken gerissen: »Wie soll es weitergehen? Unsere schöne Landschaft wurde bereits kaputtindustrialisiert, doch es kommt noch schlimmer. Bald gibt es keine Sonnenstrahlen mehr, sondern nur noch Radioaktivität.«

Sie seufzte und steckte sich zitternd eine Zigarette an. Mit den grauenhaften Bildern, die Doris zeichnete, verschwand die Bauernhofidylle aus Jakobs Gedanken. Jakob wußte, daß Doris von der Gegenwart sprach, obwohl es wie eine Zukunftsvision klang.

»Und bald gibt es keinen Nebel mehr«, mischte sich Geli in Doris Protest ein, »sondern nur noch Smog. Wie oft wurde im letzten Winter Smogalarm gegeben.« Ja wie oft... Und Jakob, der bis vor einigen Minuten teilnahmslos zugehörte hatte, erschrak bis in das Tiefste seines Herzens.

In der drückenden Einsamkeit der Regentage schleppten sich die Semesterferien im alten Trott dahin. In der zweiten Augusthälfte wurde es wieder warm, dann richtig heiß. Die sommerliche Blütenpracht aber war inzwischen verblüht.

Jakob radelte oft zur Uni, um in der angenehm kühlen Universitätsbibliothek zu lernen. Manchmal drückte die Prüfungsangst Jakobs Herz und Magen wie mit einer stählernen Hand zusammen. In anderen Augenblicken war ihm alles gleichgültig. Er wurde phlegmatisch und schlich wie ein Schlafwandler durch die langen Korridore der Uni.

Der September brachte einen herrlichen Spätsommer mit sich, es waren Tage, die dazu da waren, genossen zu werden, doch Jakob war nicht nach Genießen zumute. Er sehnte sich nach Regen und Dunkelheit, weil die Sonne ihn wachrüttelte und seine Gleichgültigkeit vertrieb.

Je näher der November heranrückte, desto unruhiger wurde Jakob Klein. Inzwischen hatte er einen langen Bart. Da sein Magen in letzter Zeit nur wenig Essen vertrug, hatte Jakob stark abgenommen. Noch höher saßen nun seine Wangenknochen, und viel größer wirkten seine Augen. Sein Gesichtsausdruck war reif und leidvoll geworden.

»Du siehst wie ein Orientale aus«, sagte Rolf zu Jakob. Und Babsi bestätigte: »Ja, wie ein indischer Fakir.«

Geli und Manfred lachten.
»Laßt ihn doch in Ruhe«, warf Doris ein.
Nun waren nicht mehr so wenige Studenten im Studentenheim. Nach und nach kamen die anderen von Zuhause oder vom Urlaub zurück. Im Oktober waren fast alle wieder da. Jeder hatte nun seinen Zimmernachbarn, nur Jakob Klein nicht.
Auch im Oktober war es noch spätsommerlich warm. Jakob Klein schwitzte. Seine Handflächen waren immer naß. Nachts wachte er plötzlich auf, und der Schweiß troff ihm aus allen Poren. Nur noch wenige Wochen bis zum Examen, dachte er schaudernd.
Es war Mitte Oktober, da kam im Studentenheim das Gerücht auf, daß der Zimmernachbar Jakob Kleins kein Kemptener oder Günzburger, sondern ein Türke sei. Ja, ein Türke.
»Ein Türke«, erzählte Norbert im Gemeinschaftsraum. Er lehnte sich mit dem Ellbogen gegen die Musicbox.
»Ich schwöre es«, fügte er hinzu und schob seine Brille zurecht. Hinter den kleinen runden Brillengläsern glänzten seine blauen Augen.
»Was du nicht sagst«, kicherte Geli, »etwa einer mit einem fliegenden Teppich?« Ein Gelächter brach aus.
»Eines Tages wird er mit seinem fliegenden Teppich auf der Terrasse unseres Studentenheims landen«, setzte Gisela das Gespräch fort.
Babsi, die ihre Strickarbeit auf den Tisch legte, hob ihren Kopf und schaute Jakob in die Augen: »Was meinst du dazu, Jakob?«
Jakob zuckte mit den Schultern.
»Dann wird ja euer Zimmer nach Knoblauch stinken.«
Das war Rolf, der Jakob mit einem prüfenden Blick maß.
»Na und?« flötete Geli, »Knoblauch soll ja gesund sein.«
Wieder Gelächter.
»Die essen ja nicht nur Knoblauch«, schrie Doris, »die haben eine phantastische Küche, echt wahr.«
»Um so besser«, lachte Babsi, »dann bringt uns der Türke bei, wie man türkisch kocht. Und wir veranstalten türkische Abende im Studentenheim.«
»Mit Bauchtanz und so«, rief Gisela mit strahlenden Augen, »eine Freundin von mir besucht seit einiger Zeit Bauchtanzkurse. Das soll so toll sein.«

»Mmm, tausend und eine Nacht«, flüsterte Norbert entzückt und wiegte seine Hüften. Manfred pfiff dazu eine gerade erfundene Melodie, die orientalisch klingen sollte. Die anderen klatschten in die Hände.

»Schämt euch!« schrie Doris und verließ aus Protest den Gemeinschaftsraum.

»Bist du uns böse?« fragte Babsi Jakob Klein, als sie ihre Strickarbeit wieder in die Hand nahm.

»Vielleicht«, antwortete Jakob. »Ach was«, winkte er dann ab.

Ende Oktober, als die Prüfungen immer näher heranrückten, verlor Jakob schlagartig seine Prüfungsangst. Es ärgerte ihn nur, daß der Zimmernachbar ausgerechnet im November bei Prüfungsbeginn kommen würde. In dieser Zeit wollte Jakob lieber ganz allein sein. Andererseits konnte er aber den November kaum erwarten, weil er ja so neugierig auf den »Türken« war.

Obwohl der »Türke« noch nicht da war, sprach jeder im Studentenheim von ihm, als ob er schon seit vielen Semestern unter ihnen gelebt hätte.

»In der Mensa gab's heute Schweinebraten«, erzählte Manfred, »der arme Türke hätte heute verhungern müssen.«

Und Norbert behauptete, daß er heimlich Türkisch lerne, um den Türken gebührend willkommen zu heißen.

»Ich werde ihn in seiner Muttersprache begrüßen«, sagte er, »wenn er mit seinem fliegenden Teppich auf unserer Terrasse landet.«

»Keine schlechte Idee«, bemerkte Geli und kugelte sich vor Lachen. Obwohl Jakob sich über Norberts Scherz nicht geäußert hatte, fand er die Idee wirklich gut. Als er am nächsten Tag in der Universitätsbibliothek war, suchte er dort ein deutsch-türkisches Wörterbuch und schlug dann »Grüß' Gott« nach.

»Merhaba«, prägte er sich ein.

Manchmal legte sich Jakob jetzt auch tagsüber in sein Bett, starrte mit leeren Blicken auf die Zimmerdecke und wartete darauf, daß der Zimmernachbar endlich käme.

Einmal hatte es geklopft, und Jakob war von seinem Bett aufgesprungen. »Herein«, rief er aufgeregt. Als die Tür leise aufging, hätte er beinahe »Merhaba« gesagt, schwieg aber, als er Babsi im Türrahmen sah.

»Hast du Lust, mit mir einen Kaffee zu trinken?«
»Du siehst doch, daß ich lerne.«
»Leg doch mal eine Pause ein, Mensch.«
»Schon gut, ich komme.«

Anfang November, als Jakob sich darauf eingestellt hatte, jeden Augenblick seinen Zimmernachbarn kennenzulernen, fand er in seinem Briefkasten ein kurzes Schreiben der Verwaltung, in dem ihm mitgeteilt wurde, daß sein Zimmernachbar, Herr Küçük, erst einen Monat später eintreffe.

Küçük hieß er also. Tatsächlich ein Türke. Küçük.

Nun hatte der »Türke« auch einen Namen im Studentenheim. Küçük hin, Küçük her. Gisela fand den Namen »klangvoll«, während Rolf ihn wegen der zwei ü's im kurzen Wort als »typisch türkisch« bezeichnete. Doris hatte ihnen erklärt, daß das c mit dem Haken unten als »tsch« ausgesprochen werden mußte.

»Kütschük«, betonte Geli und mußte unbedingt kichern, Gisela hingegen krümmte sich vor Lachen.

Nun kannte man zwar den Namen, doch alle waren enttäuscht, daß der Türke selbst immer noch nicht da war. Auch Jakob war enttäuscht, wenn er sich auch zugleich freute, in der Prüfungszeit ungestört zu sein.

November... Immer kürzer wurden die Tage. Die Sonne verschwand bereits am Nachmittag in einer trüben Dämmerung. Dann kamen die langen Nächte, und der Wind rüttelte an den Straßenlaternen und rauschte unheimlich im kahlen Geäst der Bäume.

Am 2. November hatte Jakob die erste Prüfung: Deutsche Literatur des Mittelalters.

Professor Riegele galt als ein angenehmer Prüfer. Das hatte auch Martin Mooshuber, Jakobs früherer Zimmernachbar, bestätigt, der im letzten Jahr Examen gemacht hatte und nun in Donauwörth seinen Referendardienst leistete.

»Setzen Sie sich, Herr Klein«, sprach der Professor, »schlagen Sie uns ein Thema vor, über das wir uns unterhalten wollen.«

»Parzival«, flüsterte Jakob mit trockener Kehle. Der Beisitzer hatte schon mit der Protokollführung angefangen.

Jakob steckte seine nassen Hände in die Achselhöhlen, um das Zittern zu verhindern. Dann fiel ihm ein, daß diese Haltung auf den Prüfer keinen guten Eindruck machen würde, und er legte die weiterhin heftig zitternden Hände auf den Schoß. Jakob wußte nicht, was er mit seinen Händen machen sollte, die plötzlich so schwer geworden waren, tonnenschwer.

»Regen Sie sich doch ab«, sprach der alte Professor zu ihm und strich durch seinen Kinnbart.

»Nun ja, Parzival«, räusperte er sich, »können Sie uns die charakteristischen Motive nennen, die Wolfram in diesem Epos verwendet hat?«

Am 10. November war die zweite Prüfung: Neuere deutsche Literaturgeschichte.

»Darf man schon gratulieren?« fragten die Kommilitonen.

»Wie war's?« wollte jeder wissen.

»Gut, denke ich«, murmelte Jakob, »aber es geht noch weiter.«

In der Angst und Hektik jener Tage hatte er den »Türken« fast völlig vergessen. Auch im Studentenheim war das Thema nicht mehr so aktuell. Das Semester hatte angefangen, und jeder war mit seinen eigenen Problemen beschäftigt.

Den November habe ich noch nie so novemberhaft erlebt, dachte Jakob Klein, während er für die letzten Prüfungen lernte.

Es winterte schon. In den Bergen schneite es bereits. An den Wochenenden fuhren die meisten Studenten in die Berge, um Ski zu fahren. Geli, die aus Füssen stammte und im Sommer kein einziges Mal zu Hause gewesen war, fuhr nun jedes Wochenende.

Auch die Weihnachtsvorbereitungen fingen bereits an, und Doris meinte: »Keine Spur von Besinnlichkeit, sondern nur Hektik. Auch Weihnachten ist in diesem Land eine Industrie. Eine Kaufhausindustrie.« Auf einem Ecktisch im Gemeinschaftsraum flackerten die Adventskerzen.

Am 26. November hatte Jakob Klein die vorletzte Prüfung. Laut Vertrag durfte er aber noch ein halbes Jahr bis zu seiner Referendarzeit im Studentenheim bleiben, worüber er auch sehr froh war. Es wäre ihm schwer gefallen, sich so abrupt von dem Studentenleben zu trennen, das er immerhin über fünf Jahre geführt hatte, ganz abgesehen davon, daß er sich noch keine Mietwohnung leisten konnte.

Am 30. November hatte Jakob Klein die letzte Prüfung, und nach der letzten Prüfung erschien ihm sein Leben plötzlich so leer. Er konnte sich nicht einmal erleichtert fühlen, weil das Leeregefühl mächtiger war als alles andere.

Ziellos schlenderte Jakob durch die langen Korridore der Uni. Seine Beine trugen ihn hinaus auf die nassen Straßen, dann zum Lechufer. Er lehnte sich an einen Baum und rauchte eine Zigarette. Was nun? fragte er sich nachdenklich, ja, gerettet bis zum zweiten Staatsexamen. Aber dann?

Plötzlich dachte er an Doris. Leise rannen die Regentropfen über Jakobs Wangen. Gifttropfen, lächelte er wehmütig und dachte an den Bauernhof, aber an einen Bauernhof in der Ferne, an einen, den er nicht kannte, der ihm aber so vertraut vorkam. Er sah Schafe und Ziegen, erinnerte sich aber, daß sie in Sandheim keine Schafe und Ziegen hatten, sondern nur Kühe.

Komisch, dachte er, als er die Zigarettenkippe in eine Pfütze warf, in der die noch brennende Zigarette mit einem leichten Zischen ertrank. Wenn die Böen über die Pfützen fegten, schoben sich glatte und gekräuselte Wasserflächen ineinander, und unheimlich gluckten die Regenblasen.

Als Jakob gegen Abend zum Studentenheim kam, warteten Babsi und Norbert schon im Eingang auf ihn.

»Der Türke ist da«, berichteten sie aufgeregt.

»Ich schwöre es«, beteuerte Babsi, »er ist da, dein Küçük. Und ein ganz netter Kerl. Er ist in Ordnung, glaub mir.«

»Auch auf mich macht er einen ganz sympathischen Eindruck«, sagte Norbert.

»Ach ja?« stotterte Jakob. Obwohl Jakob so neugierig war und Babsi und Norbert über den Türken ausfragen wollte, fesselte ihm etwas die Zunge, und sein Herz schlug laut. Doch auch ohne Fragen erzählten Babsi und Norbert weiter:

»Er kann auch gut Deutsch, gell Norbert?«

»Ja, ja, er spricht fast akzentfrei.«

»Er stammt aus Antalya, ja, Antalya, so hat er gesagt, und Antalya soll am Mittelmeer sein. Wir haben uns lange unterhalten.«

»Und wo ist er jetzt?« wollte Jakob wissen.

»Na, wo denn?« kicherte Babsi, »in deinem, eurem Zimmer.«

Während Jakob die Treppen zum dritten Stock hinaufkletterte, kam es ihm vor, als leide er an Atemnot, und seine Beine waren schwer wie Blei, worüber er sich sehr ärgerte, weil er ja so schnell wie möglich seinen Zimmernachbarn kennenlernen wollte.

Seine Schritte lösten eine Lawine von Lärm aus. Immerhin werde ich ein halbes Jahr mit ihm zusammen wohnen, dachte Jakob und schleppte sich die Treppe empor. Er ärgerte sich darüber, daß er nicht dabei gewesen war, als der Küçük ankam, und er ihn nicht mit einem »Merhaba« willkommengeheißen hatte. »Das kann ich aber immer noch«, murmelte er vor sich hin.

Als er vor Zimmer 302 stand, wußte er nicht, ob er anklopfen oder einfach reingehen sollte. Dann klopfte er aber doch an. Küçük machte die Tür auf.

»Merhaba«, sagte Jakob außer Atem, »ich bin dein Zimmernachbar.«

»Merhaba«, entgegnete Küçük freundlich, »das ist aber lieb von dir, daß du mich in meiner Muttersprache begrüßt. Das ist wirklich sehr lieb. Dann laß uns einander bitte ganz auf die türkische Art begrüßen.«

Küçük umarmte Jakob, der wie angenagelt im Türrahmen stand, und küßte ihn auf beide Wangen.

»Entschuldige, daß ich so hereingeplatzt bin«, sagte Küçük, »aber ich hatte den Schlüssel von der Verwaltung und habe ja so viel Gepäck. Ich wollte nicht länger im Gemeinschaftsraum herumstehen.«

»Ist ja schon recht«, flüsterte Jakob. Schweißperlen glänzten auf seiner Stirn.

Im Zimmer standen noch viele Gepäckstücke herum.

»Ich bin noch nicht dazu gekommen auszupacken«, erklärte Küçük.

»Laß dir Zeit«, entgegnete Jakob und versuchte möglichst ruhig zu wirken.

Draußen auf dem Gang war es nicht sehr hell gewesen. Jetzt erst im beleuchteten Zimmer sah Jakob das Gesicht seines Zimmernachbarn, und ihm war so, als ob er in den Spiegel schaute. Wie ein Doppelgänger stand Küçük vor Jakob Klein, mit denselben honigfarbenen Augen, mit demselben melancholischen Blick und mit hohen Wangenknochen. Es fehlte nur der Bart, ja, nur der Bart fehlte.

»Wie groß bist du?« fragte Jakob plötzlich.

»1,76 Meter«, antwortete Küçük, »wieso?«

»Nur so«, murmelte Jakob und ließ sich auf dem Sessel, dem einzigen Sessel des Doppelzimmers, nieder.

Die verblüffende Ähnlichkeit schien Küçük selbst nicht aufgefallen zu sein. Auch nicht den anderen, z.B. Babsi und Norbert, die Küçük bereits kennengelernt hatten. Wäre das der Fall gewesen, hätte Babsi bestimmt nicht nur: »Er ist ein feiner Kerl« gesagt, sondern auch eilfertig hinzugefügt: »Er sieht dir ähnlich wie ein Zwillingsbruder.«

Vielleicht bilde ich mir bloß ein, daß wir uns ähnlich sehen, dachte Jakob.

Inzwischen hatte Küçük mit dem Auspacken angefangen. Lachend zeigte er auf ein Gepäckstück, einen zusammengerollten Teppich.

»Das ist mein fliegender Teppich«, erklärte er, »mit dem bin ich hierher geflogen und auf der Terrasse des Studentenheims gelandet.«

»Soll das ein Witz sein?« murmelte Jakob.

»Natürlich, Mann.« Küçük lächelte herzhaft, und dabei fiel Jakob auf, daß Küçüks Zähne so weiß wirkten, ja, wie Perlen schimmerten, weil die Gesichtshaut sonnengebräunt war. Außer Jakobs Bart trug auch die Farbe von Küçüks Gesichtshaut dazu bei, daß die große Ähnlichkeit zwischen den beiden Zimmergenossen nicht sofort auffiel.

»Natürlich ist es ein Scherz mit dem fliegenden Teppich«, fuhr Küçük mit seinem unbefangenen Lächeln fort, wurde dann aber ernst: »Vielleicht auch nicht.«

»Aber ernsthaft«, sagte Jakob so beiläufig wie möglich, »wieso hast du den Teppich mitgebracht?«

»Das ist kein echter Teppich«, antwortete Küçük, »sonst hätte ich ja Schwierigkeiten beim Zoll gehabt. Das ist nur ein Kelim, ganz dünn und schlicht. Als Dekorationsstück habe ihn mitgebracht. Um mein, das heißt unser Zimmer zu schmücken. Wenn er dir gefällt, schenke ich ihn dir.«

Plötzlich merkte Jakob, daß er süchtig war, Küçük Fragen zu stellen. Indem er Fragen stellte, hoffte er, das Rätsel, das ihn innerlich so quälte, das Rätsel der Ähnlichkeit, lösen zu können. Je mehr er aber Fragen stellte, desto unlösbarer wurde ihm das Rätsel, das wie eine schwere Last auf seiner Brust drückte und ihm das Atmen schwer machte. Dennoch konnte er sich nicht überwinden und drang mit weiteren Fragen auf seinen Zimmergenossen ein: »Man hat mir erzählt, daß du aus Antalya stammst.«

»Nicht direkt. Eigentlich stamme ich aus einem Dorf namens Kumyuva, aber nicht weit von Antalya. Mein Dorf liegt zwischen dem Mittelmeer und dem Taurusgebirge. Ja, mein Dorf ist von mächtigen Bergen umgeben, deren Gipfel von Nebelwolken umhüllt sind. Ich lebte dort auf einem Bauernhof.«

Küçüks Stimme war sanft, sein Akzent fiel angenehm auf.

Jakob hatte noch weitere Fragen an ihn: »Wo hast du denn so gut Deutsch gelernt?«

»Auf der Uni. Ich habe vier Semester Germanistik studiert. An der Ägäischen Universität in Izmir. In Antalya gibt's ja keine Uni.«

»Und was willst du hier?«

»Weiterstudieren. Aber es gibt Schwierigkeiten. Man will mir meine vier Semester nicht anerkennen. Ich soll hier zuerst eine Sprachprüfung ablegen. Eine Deutschprüfung.«

Küçük holte aus seinem Koffer ein Buch, das er behutsam auf den Nachttisch neben seinem Bett legte.

»Steppenwolf«, sagte er dann, »Hermann Hesse. Meine Lieblingslektüre. Kennst du ihn auch, den Steppenwolf?«

Jakob nickte nur. Etwas würgte ihn in der Kehle, so daß er nach Luft rang. Er schwieg und sagte nicht, daß der Steppenwolf auch seine Lieblingslektüre war.

Nun war aber Küçük daran, seine Fragen zu stellen, und dieses Frage-Antwort-Spiel schien von den beiden Zimmergenossen inszeniert, um sich kennenzulernen. Je näher sie sich aber kamen, je stärker war in beiden das Gefühl, vor einem Spiegel zu stehen.

»Und was studierst du?«

»Auch Germanistik«, brachte Jakob mühsam heraus, »das heißt, ich bin schon fertig. Ich habe heute meine letzte Prüfung abgelegt.«

»Herzlichen Glückwunsch!« rief Küçük, »das muß gefeiert werden.«

Nach Feiern war aber Jakob nicht zumute, sondern nach Weiterfragen. Wie besessen wollte er immer mehr von Küçük wissen: »Ich weiß deinen Vornamen noch nicht.«

»Ich deinen schon. Ich habe ihn auf dem Namensschild an der Zimmertür gelesen. Jakob. Komisch...«

»Was ist daran komisch?«

»Weißt du«, fing Küçük nachdenklich an, »komisch ist vielleicht nicht der richtige Ausdruck, es ist eher, wie soll ich sagen, seltsam, ja, seltsam.«

»Nun sag doch endlich, was so seltsam sein soll«, befahl Jakob.

»Ich heiße mit Vornamen Yakup. Das y muß wie j ausgesprochen werden, also: Jakup, das ist die orientalische Version von Jakob. Ich will damit nur sagen, daß wir Namensvettern sind.«

»Was du nicht sagst?« Jakobs Herz hämmerte, und seine Wangen überzogen sich mit einer flammenden Röte. Er stand auf, ging zum Fenster, riß es auf und atmete die kalte Luft ein. Sie traf auf seine brennenden Wangen, und Jakob schloß die Augen.

»Und nicht nur das«, fuhr Küçük fort, »alles ist viel seltsamer, als du dir denken kannst. Auch mein Familienname ist die türkische Übersetzung deines Familiennamens. Hast du gewußt, daß ›Küçük‹ auf deutsch ›klein‹ heißt?«

»Nein«, seufzte Jakob, immer noch am Fenster stehend, »ich kann nur ein einziges türkisches Wort, und das ist ›merhaba‹, mit dem ich dich begrüßte habe.«

»Ja«, nickte Küçük, »diese freundliche Geste werde ich niemals vergessen.«

»Wir heißen also gleich«, sagte Jakob mit zitternder Stimme, »und ist dir nicht aufgefallen, daß wir wie Zwillingsbrüder aussehen?«

»Doch«, lachte Küçük, »aber nicht sofort. Weißt du, dein Bart, ich meine, mit dem Bart ist die Ähnlichkeit nicht so auffällig. Und du bist auch etwas schlanker als ich. Außerdem bin ich Brillenträger und du nicht.«

»Ach ja, die Brille«, murmelte Jakob, »an die habe ich nicht gedacht. Du hast recht. Unsere Ähnlichkeit ist doch nicht so auffallend, wie sie mir zuerst erschien. Aber erzähl bitte weiter. Du hast doch von einem Bauernhof gesprochen.«

»Ja, der Bauernhof...« flüsterte Küçük träumerisch, »Schafe und Ziegen haben wir. Mein Vater stellt Schafskäse her. Kennst du Schafskäse?«

Die letzte Fragen überhörend fiel ihm Jakob ins Wort: »Wir haben keine Schafe und Ziegen, sondern nur Kühe.« Er hielt inne und fuhr dann nach einer kurzen Pause fort: »Aber die Berggipfel, der Nebel...« Er schwieg wieder, beinahe hätte er statt »Nebel« Smog gesagt.

»Der Nebel«, wiederholte sein Zimmernachbar nachdenklich, »ich glaube, ich muß dir mehr vom Taurusgebirge erzählen. Es ist ein Koloß mit bizarren Zacken und Graben, mit Buckeln und Abgründen. Auf den Felsen, die wie aus tiefer, unterirdischer Ferne dröhnen, wächst farbiges Moos. Es gibt auch Klüfte dort, wo die finsteren Felsenwände näher zusammentreten, wo Gewässer leise rinnen, mit rätselhaftem Rauschen. Ich glaube, eine solche Landschaft gibt es sonst nirgendwo auf der Welt.«

»Doch«, flüsterte Jakob Klein wie aus einem Traum, »hier, ganz in der Nähe, in den Alpen. Aber erzähl mir bitte mehr von dem Bauernhof.«

»Gern«, entgegnete Küçük, »das ganze Haus ist mit Weinlaub umsponnen, das im Herbst wie ein rotes und doch kühlendes Feuer glüht. Als Kind habe ich immer trockene Tannenzapfen gesammelt, mit denen meine Mutter Feuer machte. Im Wohnzimmer haben wir einen Kamin, und –«

»Hör auf«, unterbrach ihn Jakob Klein plötzlich und vergrub das Gesicht in den Händen.

Yakup Küçük hatte Schwierigkeiten in Deutschland. Nein, keine Anpassungsschwierigkeiten, nur solche, die den Papierkrieg betrafen. Er hatte eine Aufenthaltserlaubnis nur für drei Monate, was ihn unruhig machte, denn er wollte ja viel länger in Deutschland bleiben. Er wollte dieses Land, dessen Sprache und Literatur er gelernt hatte, richtig kennenlernen. Schon jetzt hatte er Angst davor, daß seine Aufenthaltserlaubnis nicht verlängert werden könnte. Yakup Küçük, der bei seiner Ankunft in Deutschland die Ruhe in Person war, lernte hier in kurzer Zeit das Fürchten. Jakob Klein versuchte oft, seinen Zimmernachbarn zu trösten. Es ärgerte ihn, daß Ausländern so viele Schwierigkeiten gemacht wurden, daß zum Beispiel Yakup Küçük eine Sprachprüfung ablegen mußte, obwohl er schon vier Semester Germanistik studiert hatte. Andere ausländische Studenten berichteten, wie schwer die Deutschprüfung war, und Yakup Küçük geriet immer mehr in Panik. Eine bange Ahnung drückte ihm das Herz zusammen.

»Ich schaffe es nicht«, sagte er zu Jakob Klein, »ich werde bestimmt durchfallen.«

»Du wirst es schaffen«, entgegnete Jakob Klein, »ich helfe dir.

Außerdem ist die Deutschprüfung ein Kinderspiel für dich. Du bist ja ein Germanist mit Leib und Seele.«

Da Jakob Klein bis zu seinem Referendardienst ein halbes Jahr Zeit hatte, suchte er sich einen Job und fand auch bald einen; er half in einer Druckerei aus. Wenn er abends müde heimkam, freute er sich, daß er nicht mehr allein war. Jakob und Yakup unterhielten sich oft stundenlang auf ihrem Zimmer. Manchmal verbrachten sie die Abende aber auch im Gemeinschafts- oder Fernsehraum mit anderen Kommilitonen. Yakup Küçük hatte sich gut eingelebt. Im Studentenheim hatte ihn jeder liebgewonnen. Kein einziger Türkenwitz wurde gemacht, man hatte fast vergessen, daß Küçük ein Türke war.

Jakob Klein, der von Geselligkeiten wie Unibällen und ähnlichem früher nichts gehalten hatte, besuchte jetzt mit Küçük jeden Ball und jede Veranstaltung in der kleinen Universitätsstadt. Wenn Jakob und Yakup ins Kino, ins Theater oder in die Oper gingen, tauschten sie manchmal ihre Kleidungsstücke. Jakob zog Yakups weißen Pullover gerne an, während Yakup für Jakobs Jeans schwärmte. Da auch Yakup inzwischen abgenommen hatte, sahen sich die beiden immer ähnlicher und wunderten sich, daß die anderen im Studentenheim diese Ähnlichkeit noch nicht bemerkt hatten.

Wenn sie ausgingen, waren sie meistens mit anderen Kommilitonen zusammen. Doris war auch oft mit ihnen. Sie hatte nun keine Papageienfarben in ihren Haaren, sondern ihre natürliche dunkelblonde Haarfarbe. Immer seltener zog sie sich punkartig an und hatte die Idee aufgegeben, mit dem Studium aufzuhören. Im Gegenteil versäumte sie keine einzige Vorlesung mehr. Nach der letzten Überarbeitung hatte der Professor ihre Diplomarbeit angenommen.

Diese neuen Entwicklungen waren nur durch eines zu erklären: Doris hatte sich in Yakup Küçük verliebt. Und Jakob meinte, daß auch Küçük einiges für sie empfinde.

Die langen Winterabende... Weihnachten war schon vorbei. Das erste Mal war Jakob Klein über Weihnachten nicht nach Hause gefahren. Die Winterabende waren unbeschreiblich schön, ob Jakob und Yakup sie nun in Gesellschaft oder in harmonischer

Zweisamkeit verbrachten. Draußen fiel der Schnee in großen, dichten Flocken, die sich auf die Fensterscheiben setzten.

Jakob und Yakup liebten ihre Unterhaltungen. Obwohl beide jeden Morgen früh aufstehen mußten, blieben sie lange auf. Küçük kochte türkischen Tee, und ein rubinroter Duft erfüllte das Zimmer. Jakob Klein, der ein so schweigsamer Mensch gewesen war, erzählte und erzählte, ohne daß er müde wurde. Er erzählte von seiner Kindheit, er erzählte alles, woran er sich erinnern konnte, vom gemütlichen Wohnzimmer, von krachenden Treppen und vom Dachboden, von Einmachgläsern und von den saftigen Kirschen im Gelee.

Yakup Küçük, der ihm nachdenklich zuhörte, sprach erst dann, wenn Jakob Klein eine Pause einlegte, um Atem zu holen.

»Alles, was du erzählst, kenne ich auch. Wir hatten ein ähnliches Wohnzimmer im Bauernhaus. Aber keine Möbel, wie du sie mir beschreibst, sondern hohe Diwans. Ja, an jeder Wand stand ein Diwan mit seidenen Teppichdecken und zahllosen Kissen, kleinen Seidenkissen mit Spitzenbesatz. Es gab keine Tische, sondern riesige Kupfertabletts, auf denen man aß. Beim Essen hockten wir auf wertvollen Teppichen auf getäfeltem Fußboden.«

»Wie in tausend und einer Nacht«, flüsterte Jakob Klein träumerisch, obwohl er diese Märchensammlung nicht gelesen hatte.

»Aber die Einmachgläser«, fuhr Yakup Küçük fort, »die hatten wir auch. Auch auf dem Dachboden. Nur, es waren keine Kirschen darin, sondern Granatäpfel. Aber das Rot, das du mir beschreibst, das Rot deiner Kirschen, es ist das gleiche Rot.«

»Weißt du was«, unterbrach ihn Jakob Klein mit glühenden Augen, »ich möchte so gerne dein Dorf kennenlernen.«

»Und ich deines. Wie heißt dein Dorf? Du hast es mir zwar immer wieder beschrieben, aber noch nicht gesagt, wie es heißt.«

»Tatsächlich?« lachte Jakob Klein, »Sandheim, ja so heißt mein Dorf.«

Als Yakup Küçük den Namen hörte, hielt er inne und wurde plötzlich bleich.

»Was hast du denn?« fragte Jakob Klein. »Ach ja, du mußt mir auch sagen, wie dein Dorf heißt. Am Tag deiner Ankunft hattest du zwar gesagt, woher du stammst, aber ich habe den Namen vergessen.«

»Kum-, Kum-« stotterte Yakup, seine Lippen bebten.

»Kumyuva«, fuhr er mühsam fort.

»Und was bedeutet der Name?« wollte Jakob Klein wissen.

»Das ist es ja«, schrie Yakup Küçük, »›Kum‹ heißt ›Sand‹, und ›yuva‹ ist ›Nest‹, aber im übertragenen Sinne bedeutet es auch ›Heim‹.«

»Kumyuva ist also Sandheim...« Nun bebten auch Jakobs Lippen, und es schlug wie ein Blitz in ihn ein.

»Ja«, nickte Yakup Küçük, »Kumyuva bedeutet Sandheim.«

Es war Anfang Februar, und Yakup Küçüks Deutschprüfung rückte immer näher.

Eines Abends kam Yakup Küçük von der Uni und wollte aus dem Automaten am Eingang des Wohnheims ein Päckchen Zigaretten ziehen. Eigentlich war Yakup Küçük Nichtraucher, bzw. Nichtraucher gewesen. Aber da Jakob Klein ein starker Raucher war, hatte auch Yakup Küçük zu rauchen angefangen, während Jakob Klein seinen täglichen Zigarettenkonsum ziemlich reduziert hatte. Nicht nur ihre Kleidungsstücke tauschten die beiden Zimmernachbarn, sondern auch – bewußt oder unbewußt – ihre Gewohnheiten und Eigenschaften.

Als Yakup Küçük vor dem Automaten stand und in seinen Geldtaschen nach Markstücken suchte, kam Norbert eilig auf ihn zu. »Manfred ist völlig durchgedreht«, rief er außer Atem, »er soll in einer Woche seine Zulassungsarbeit abgeben, aber er, er...«

»Was macht er?« fragte Yakup Küçük besorgt.

»Er hat Kreise an die Zimmertür gezeichnet und schießt mit Gummipfeilen. Wenn er den kleinsten Kreis in der Mitte trifft, schreit er vor Freude. Ich weiß nicht, wie ich ihm helfen soll.«

Manfred war Norberts Zimmernachbar.

»Laß uns etwas überlegen«, sagte Yakup Küçük.

Da erschien auch Rolf im Joggingtrikot vor der Eingangstür. Rolf machte jeden Abend um diese Zeit seine Touren durch das Unigelände, nicht als Sport, sondern um sich zu beschäftigen.

»Manfred ist völlig durchgedreht«, berichtete Norbert auch ihm, »er schafft die Zulassungsarbeit nicht. Dabei ist sie eigentlich schon fertig. Er müßte sie nur abtippen.«

»Ach so«, lachte Rolf erleichtert, »wenn es bloß die Tipparbeit ist, dann können wir sie ja übernehmen.« Er wischte sich den Schweiß von der Stirn ab. »Was stehen wir hier herum?« fuhr er fort, »ich tippe 20 Seiten, du auch 20, sieh zu, daß wir auch die Geli und Babsi mobilisieren, eventuell auch die Gisela. Los, an die Arbeit!«

Als Yakup Küçük in sein Zimmer kam, war Jakob Klein schon da. Er lag mit offenen Augen auf dem Bett, das Gesicht blaß. Yakup Küçük berichtete ihm von Manfred und der Hilfsaktion der Kommilitonen. Jakob Klein richtete sich auf. Sein Gesichtsausdruck war nachdenklich geworden, seine Augen wirkten größer.

»Ich habe eine Idee«, rief er plötzlich, »die Hilfsaktion für Manfred hat mich auf eine tolle Idee gebracht. Die Prüfung, die Sprachprüfung, die Deutschprüfung, vor der du so viel Angst hast...«

»Ja?« unterbrach ihn Yakup Küçük.

»Die schreibe ich. Für dich. Ich, Jakob Klein, als Yakup Küçük. Als Muttersprachler und Germanist falle ich bestimmt nicht durch.«

»Wie stellst du dir das denn vor?« rief Yakup Küçük verzweifelt, »man verlangt doch den Personalausweis, bevor man zur Prüfung zugelassen wird.«

»Wenn schon?« zuckte Jakob Klein mit den Achseln, »ich lege deinen Personalausweis vor. Da wir uns so ähnlich sehen, kommt niemand auf den Gedanken, daß jemand anderer die Prüfung schreibt.«

»Das geht doch nicht«, stöhnte Yakup Küçük.

»Warum nicht?«

»Weil das, weil das Betrug ist.«

»Dann sollten sie euch Ausländern doch nicht mit solch schweren Bedingungen das Leben zur Hölle machen«, schrie Jakob Klein, wobei er selbst nicht wußte, ob er wirklich alle Ausländer meinte oder nur seinen Zimmernachbarn Yakup Küçük.

»Wenn sie so gnadenlos sind, fuhr Jakob Klein fort, »dann dürfen wir uns schon diesen kleinen Betrug erlauben.«

»Und wenn sie dahinterkommen?«

»Kein Aas kommt dahinter«, schrie Jakob Klein, »du scheinst zu vergessen, mein Lieber, wie ähnlich wir uns sehen.«

»Nicht ganz«, antwortete Yakup Küçük, »du vergißt die Brille. Ich bin Brillenträger, aber du nicht.«

»Noch nie von Kontaktlinsen gehört?« knurrte Jakob Klein. Dann stand er auf und begann, im Zimmer auf und ab zu gehen.

Plötzlich blieb er stehen und schnappte mit den Fingern: »Ich hab's. Gleich morgen gehst du zum Augenarzt und tauschst deine Brille gegen Kontaktlinsen aus. Und ich besorge mir eine Brille mit stinknormalen Gläsern. Ab morgen läßt du dir den Bart wachsen. Und wenn dein Bart so lang ist wie meiner, schneide ich meinen ab. Dann, dann kann niemand mehr unterscheiden, wer Yakup Küçük und wer Jakob Klein ist. Jeder wird denken, du bist ich, und ich bin du.«

Yakup Küçük mußte gestehen, daß ihn diese Idee faszinierte. Nein, nicht die, daß sein deutscher Freund für ihn die Deutschpüfung schreiben wollte, sondern daß sie ihre Identitäten tauschen wollten.

Plötzlich fanden sich die beiden Zimmergenossen vor dem Spiegel wieder, in den sie mit prüfenden Blicken starrten. Dann schauten sie sich an und begannen, laut zu lachen: Jeder wird denken, du bist ich, und ich bin du.

Die Kontaktlinsen trug Yakup Küçük nur dann, wenn er allein oder mit Jakob Klein zusammen war. Bis sein Bart richtig gewachsen war, wollten sie mit dem Rollentausch warten.

Von der Hilfe seiner Kommilitonen tief beeindruckt, hatte Manfred seine Trägheit und Angst überwunden und die Zulassungsarbeit selbst abgetippt und termingerecht eingereicht. Auch Yakup Küçük wollte die Deutschprüfung selber schreiben. Inzwischen hatte aber Jakob Klein vor dieser Prüfung mehr Angst als Yakup Küçük.

»Wenn du sie nicht bestehst, wirst du ausgewiesen«, rief er aufgeregt. Er wollte seinen Zimmergenossen auf keinen Fall verlieren. Er konnte sich nicht vorstellen, auf diese Freundschaft, die ihm viel mehr als eine Freundschaft bedeutete, verzichten zu müssen.

Ende Februar, gegen Semesterende, fand die Sprachprüfung statt. Yakup Küçük bestand, und seine Aufenthaltsgenehmigung wurde um drei Monate verlängert.

»Wieder nur drei Monate«, seufzte er, »ich hasse dieses Gefühl der Unsicherheit. Es ist, als würde man mir den Boden unter meinen Füßen wegziehen. Ich will hier bleiben. Hier gefällt es mir.«

»Wie kann es dir hier gefallen?« fragte ihn dann Doris mit sanfter

Stimme. Sie hatte sich ihr hysterisches Schreien längst abgewöhnt. Doris und Yakup Küçük gingen nebeneinander am Lechufer entlang. »Das Grün täuscht«, flüsterte Doris, »die Bäume sterben, alles stirbt. Die Flüsse und Bäche fließen voller Gift. Siehst du den Giftschaum?«

»So sehe ich dein Land nicht«, antwortete ihr Yakup Küçük, »vielleicht siehst du die Wirklichkeit, bin ich zu träumerisch, das mag sein. Aber niemand kann über seinen Schatten springen. Ich sehe nur das saftige Grün und nicht das Gift. Ich liebe eure Wälder und eure Berge. Sie erinnern mich an meine Heimat. Doch alles ist bei euch irgendwie schöner als in meiner Heimat. Ich weiß nicht, was es ist. Das hier ist ein Land, wo ich leben möchte. Für immer...«

So sprach er auch abends zu Jakob Klein, der jedoch immer mehr für Yakup Küçüks Dorf am Taurusgebirge schwärmte, ohne es je gesehen zu haben.

»Ich würde so gerne dort leben«, sagte er mit glühender Stimme, »für immer... Inmitten der unberührten Natur, ohne Abgase, ohne Smog und ohne Radioaktivität, inmitten von freundlichen und gastfreundlichen Menschen, von Herzenswärme umgeben, fern von der Hektik der hochzivilisierten Industriegesellschaft. Einfach raus aus dieser Uhrwerksordnung.«

»Und vielleicht liebe ich gerade dieses Uhrwerk«, murmelte Yakup Küçük nachdenklich, »das Uhrwerk, in dem ich endlich eine Schraube geworden bin, nachdem ich die Deutschprüfung bestanden habe. Ich bin stolz darauf, eine Schraube zu sein, wenn auch nur eine winzige.«

Im März war der Schnee geschmolzen. Der Garten des Studentenheims leuchtete mit den ersten Frühlingsblüten. Als Yakup Küçük einmal am Bach stand und die Enten fütterte, lief Rolf im Joggingtrikot vorbei.

»Hej, Klein«, rief er ihm zu, »was macht die Arbeit in der Drukkerei?« Yakup Küçük zuckte zusammen. Eine glühende Röte stieg ihm ins Gesicht. Rolf hatte ihn mit Jakob Klein verwechselt, obwohl Yakup Küçük noch die Brille trug. Sein Bart aber war inzwischen so lang wie der Jakob Kleins.

Als Yakup Küçük am Abend Jakob Klein von diesem Vorfall berichtete, wurde Jakob Klein nachdenklich. »Es ist also so weit«, flüsterte er und setzte sich die Brille mit den neutralen Gläsern auf, die seit einiger Zeit in seiner Schublade lag. Yakup Küçük indessen nahm sich die Brille ab und holte die Kontaktlinsen aus seiner Schublade. Dann schnitt sich Jakob Klein den Bart ab. Yakup Küçük half ihm dabei vor dem Spiegel. Plötzlich rief er: »Wir haben etwas vergessen.«

»Was denn?« knurrte Jakob Klein. »Die Sprache, meinen Akzent. Ich kann nicht Jakob Klein sein, solange ich deinen Akzent, deinen melodischen süddeutschen Akzent nicht habe. Und du kannst nicht Yakup Küçük sein, solange du nicht Türkisch kannst.«

»Du hast recht«, seufzte Jakob Klein und ließ die Schere vor dem Spiegel fallen. Sein Gesichtsausdruck war verzweifelt.

»Die ganze Mühe war also umsonst«, stammelte er. Doch dann erhellte sich sein Gesicht, und er sagte, daß es sich vielleicht ändern ließe.

»Ab sofort lerne ich Türkisch, intensiv. Ich besorge mir Sprachlehrwerke und Kompaktkassetten, und du hilfst mir dabei. Du verbesserst meine Aussprache, und ich deine.«

»Das wird nicht so leicht sein«, widersprach ihm Küçük.

»Wenn der Wille da ist, kann man jedes Ziel erreichen«, belehrte ihn Jakob Klein.

»Hallo, Klein, gehst du heute nicht zur Druckerei?«

Das war Geli, die gerade aus Füssen zurückgekommen war. Das Skifahren tat ihr sehr gut. Die roten Wangen verliehen ihr nicht nur ein gesundes, sondern auch ein hübsches Aussehen.

Yakup Küçük frühstückte in der Cafeteria des Studentenheims, als Geli an seinem Tisch vorbeiging und ihn mit einem »Hallo, Klein« begrüßte, »gehst du heute nicht zur Druckerei?«

Yakup Küçük schüttelte mit dem Kopf, ohne ein Wort zu sagen, weil er Angst davor hatte, daß seine Sprache, sein Akzent ihn verraten würde. Kaum hatte er sich vorgenommen, seinem Zimmergenossen von diesem Erfolgserlebnis zu berichten, kam Doris in die Cafeteria. Sie ging direkt auf ihn zu, setzte sich neben ihn und sagte: »Du siehst aber deinem Kumpel immer ähnlicher. Warum benutzt du eigentlich Kontaktlinsen? Die Brille stand dir viel besser.«

Am Abend hatte Jakob Klein von einem besseren Erfolgserlebnis zu berichten. »Ich war in einem türkischen Lebensmittelladen«, erzählte er aufgeregt, »und habe mit dem Verkäufer Türkisch geredet, nur Türkisch. Er hat auch mit mir Türkisch geredet, Mann. Normalerweise freuen sie sich zwar, wenn Deutsche mit ihnen Türkisch reden, aber sie antworten dann auf deutsch. Er hat aber nicht gemerkt, daß ich ein Deutscher bin. Er hat mit mir Türkisch geredet, und ich habe alles verstanden. Er hat sogar gefragt, aus welcher Region der Türkei ich stamme.«

»Und was hast du ihm geantwortet?«

»Kumyuva«, rief Jakob Klein triumphierend, »aus Kumyuva bei Antalya. Und er sagte, daß er auch aus der Gegend stamme, aus Bakirca zwischen Antalya und Mersin.«

»Bakirca...« flüsterte Yakup Küçük, »ja, das Dorf kenne ich. Dort hat mein Vater Schafskäse verkauft.«

»Ich liebe dich«, sagte Doris zu Yakup Küçük, einfach so, als ob sie vom Wetter sprach. Sie saßen auf einer Bank am Bach im Garten. »Aber du bist so verändert«, fuhr sie fort.

»Inwiefern?« wollte Yakup Küçük wissen.

»Dein Aussehen, dein Akzent...«

»Was ist mit meinem Akzent?«

»Du hast fast keinen mehr. Doch, einen schon. Aber einen süddeutschen. Wie den von Jakob Klein, einen Sandheimer Akzent.«

»Einen süddeutschen«, hatte ihm Jakob Klein Abend für Abend eingeprägt, »einen süddeutschen Akzent sollst du haben. Wenn du nach Sandheim fährst, dann müssen doch alle glauben, selbst meine Eltern, daß du ich bist. Dein Äußeres würde dich ja niemals verraten, also versuche bitte, auch mit meinem Akzent zu sprechen. Laß uns eine Probe machen. Mein Vater fragt dich ›hoascht mi‹, ja, wie hast du ihm zu antworten?« »I hoab di«, antwortete Jakup Küçük und brach in schallendes Gelächter aus. »Oh, Mann, oh, Mann«, sagte er dann, als er sich wieder beruhigt hatte, »mit Hochdeutsch hatte ich schon genug Schwierigkeiten, und nun soll ich auch noch ein perfekter Dialektsprecher sein?«

»Ja«, rief Jakob Klein aufgeregt, »das ist nur Übungssache, und Übung macht den Meister.«

»Und kein Meister ist vom Himmel gefallen«, lachte Yakup Küçük weiter, »laß mir doch etwas Zeit, Junge.«

Nachdem sie alles miteinander getauscht hatten, nicht nur das Aussehen, sondern auch die Gewohnheiten und die Eigenschaften, fiel es ihnen auch nicht schwer, auch ihre Sprachen zu tauschen. Der abendliche Sprachunterricht im Doppelzimmer 302, sei es der türkische oder der süddeutsche, machte den beiden so viel Spaß, daß sie die Zeit kaum erwarten konnten, wenn sie am Schreibtisch oder vor dem Spiegel übten und in der neuen Sprache voneinander Kassettenaufnahmen machten.

Über Ostern fuhr Yakup Küçük »nach Hause«, nein, nicht nach Kumyuva, sondern nach Sandheim im bayerischen Schwaben.

Frau Klein, die wie Yakups eigene Mutter in Kumyuva ein weißes Kopftuch trug, saß wie Frau Küçük auf einem hohen Traktor. Als sie den jungen Mann mit den dunkelblonden Haaren und langem Bart sah, sprang sie vom Traktor herunter und lief auf ihn zu: »Jakob, Jakob, endlich bischt du doa!«

Während Yakup Küçük mit »seiner Mutter« Arm in Arm durch den Hof ging, den ihm wohlvertrauten Geruch von Tannenzapfen und Kuhdünger einatmete, hinter sich das mächtige Gebirge mit seinem schneegrauen Haupt, erkannte er alles aus seiner eigenen Kindheit wieder. Und als er dann das gemütliche Wohnzimmer betrat, verstärkte sich noch das Heimatgefühl.

»Mein Junge«, sprach Herr Klein zu ihm, »du machscht di oaber rar.« Beinahe hätte ihm Yakup Küçük die Hand geküßt und an die Stirn geführt, als Geste der Ehrerbietung, wie es ja in seiner Heimat üblich ist. Stattdessen sagte er aber nur: »Mei, i hoab ja Examen k'aabt.«

Alles, was Jakob Klein von seiner Kindheit erzählt hatte, half ihm nun, in Sandheim die Jakob-Klein-Rolle perfekt zu spielen.

Als er im Keller »seiner Mutter« beim Aufräumen zur Hand ging und dabei das verrostete Fahrrad sah, sagte er: »Ich war 12, als ich mir zu Weihnachten dieses Radl gewünscht hatte.«

Auch er hatte sich ein Fahrrad gewünscht, als er 12 war, aber nicht zu Weihnachten, sondern zum Zuckerfest am Ende des Ramadan.

»Ja, ja«, nickte Frau Klein, »i woas des noch ganz genau. Beim Roadelnüben bischt du mir doann vom Roadl runterfallen und hoascht noch die Narbe auf der rechten Schulter.«

Yakup Küçük griff mit der Hand an die rechte Schulter und hielt inne. Seine Augen wurden trübe und schwer, die Erinnerungen stiegen in ihm auf. Er hatte am ersten Tag des Zuckerfestes sein nagelneues Fahrrad bekommen und das Radfahren vor dem Hof geübt. »Paß auf, Junge!« hatte ihm sein Vater zugerufen, weil er vor lauter Freude und Aufregung den Schäfer Ismail nicht gesehen hatte. Tolpatschig war er mitten in die Schafherde gefahren, dann war da ein heftiges Krachen, in der Luft die Räder des umgestürzten Fahrrads und der starke Schmerz in der rechten Schulter...

Yakup fuhr zusammen, als er die besorgte Stimme von Frau Klein hörte: »Du bischt ja so plötzlich so nachdenklich 'worden.«

»Ach, es ist nichts«, versuchte Yakup Küçük zu lächeln, »sag mal, Mutter, haben wir noch Kirschenmarmelade auf dem Dachboden?«

»Ja, freili.«

Die Einmachgläser mit den blutroten Kirschen im süßen Gelee und der wunderbare Blick aus dem runden Fenster auf die blaugrünen Tannen und die bizarren Zacken und Abgründe im Hintergrund und das geheimnisvolle Rauschen der unterirdischen Bäche in den blauen Klüften...

Erholt und munter kam Yakup Küçük von den Osterferien zurück und berichtete seinem Zimmernachbarn, daß alles gut gelaufen war. Dieser zog nachdenklich die Augenbrauen in die Höhe: »Ob ich in Kumyuva denselben Erfolg haben werde?«

»Ich glaube schon«, antwortet Yakup Küçük.

»Ich liebe dich auch«, sagte Yakup Küçük zu Doris bei einem Spaziergang am Ufer des Lech. Es war Mai. Anfang Mai. Sie gingen Hand in Hand durch eine farbenfrohe Landschaft von Wasser, Schilf und Weiden. Der Fluß rauschte durch die erfrischende Kühle.

»Aber«, stammelte er fröstelnd, »meine Aufenthaltserlaubnis läuft nächste Woche ab. Wenn sie nicht verlängert wird, wird man mich ausweisen.«

Über dem hellgrünen Lechwasser standen sanfte Nebelschwaden.

»Dann komme ich mit dir«, flüsterte Doris.

»Aber ich will hier bleiben«, rief Yakup Küçük, »wenn es nach mir ginge, würde ich für immer hier bleiben.«

»Wenn es nach mir ginge, würde ich auswandern«, sagte Jakob Klein seinem Zimmernachbarn. Jakob Klein mußte bald das Studentenheim verlassen und nach Kiesbach ziehen, um dort seinen Referendardienst zu beginnen. In Kiesbach an der Donau.

»Ich gehe nicht in dieses Kaff«, brüllte er, »ich werde auswandern. Am liebsten nach...« Mit einem Glanz in den Augen, den Yakup Küçük an ihm noch nie bemerkt hatte, flüsterte er: »In dein Land, in deine Heimat, ans Mittelmeer.«

Eine Woche später wurden Yakup Küçüks Alpträume Wirklichkeit. Seine Aufenthaltsgenehmigung war nicht verlängert worden. Einfach so. »Im Endeffekt ist es ja eine Ermessenssache«, hatte der Beamte bei der Ausländerbehörde gesagt.

Wie eine Bombe schlug die Nachricht, daß Yakup Küçük ausgewiesen werden sollte, im Studentenheim ein.

»Ist ja eine Sauerei«, fluchte Norbert, Gisela nickte bestätigend, und Geli konnte es kaum fassen. »Vielleicht findet sich eine Lösung«, rief Babsi verzweifelt.

»Eine Lösung«, schlug sich Jakob Klein mit der Hand gegen die Stirn, »es muß doch eine Lösung geben.«

Nach langen Diskussionen im Gemeinschaftsraum, wie Yakup Küçük bleiben könnte, nach Diskussionen, die leider zu keinem Ergebnis geführt hatten, saßen die beiden Zimmergenossen beieinander und schauten sich traurig an.

Während Yakup Küçük still und nachdenklich war, ging Jakob Klein im Zimmer auf und ab. Plötzlich erhellte sich sein Gesicht: »Ich hab's, Mann, ich hab's. Wir tauschen unsere Personalausweise und damit auch unsere Identität. Sollen sie dich doch ausweisen, denn sie werden nicht dich, sondern mich ausweisen. Ich verlasse dieses Land mit deinem Ausweis als Yakup Küçük, und du bleibst hier mit meinem Ausweis als Jakob Klein.«

»So einfach, wie du dir das vorstellst, ist es bestimmt nicht«, seufzte Yakup Küçük, »außerdem mußt du nach Kiesbach.«

Inzwischen war es wieder warm geworden, und nachts gab es Wärmegewitter wie in der Zeit, als Jakob Klein noch für das Examen gelernt hatte. Wie damals erleuchteten auch jetzt zuckende Blitze die Nacht, und der dunkle Himmel strahlte elektrisch blau.

»Ich muß nichts«, fiel Jakob Klein seinem Zimmergenossen ins

Wort, »jedenfalls nicht nach Kiesbach. Wenn ich gehe, gehe ich nicht nach Kiesbach.« Dann lachte er mit funkelnden Augen: »Ich muß ja dieses Land verlassen. Ich bin Yakup Küçük und habe keine Genehmigung, mich hier aufzuhalten. Du, du gehst statt meiner nach Kiesbach. Denn du bist Jakob Klein.«

Wie Kriegstrommeln klangen die fernen Donnerschläge.

»Nun ja«, murmelte Yakup Küçük leise, »alles gut und schön, aber was soll ich in Kiesbach?«

»Du bist doch auch Germanist«, antwortete Jakob Klein seinem Freund, »du arbeitest dort als Deutschlehrer. Ab und zu kannst du den Kindern auch ein Märchen erzählen. Und deine Türkischkenntnisse werden dir sicher nützlich sein, weil du bestimmt auch viele türkische Schüler haben wirst. Sag dem Rektor, daß du Türkisch kannst, er wird stolz auf dich sein. Und sieh zu, daß du nach dem Referendardienst das zweite Staatsexamen bestehst. Die Bestimmungen hierzulande sind nicht nur für Ausländer schwer, mein Lieber. Aber du hast ja immer für dieses Land geschwärmt.«

»Ja«, flüsterte Yakup Küçük, während sein Freund aufgeregt weiterredete, und der ferne Donner immer näher heranrückte.

»Vielleicht hast du nach dem zweiten Staatsexamen Glück und bekommst eine feste Anstellung. Irgendwo in Kempten oder Memmingen, vielleicht in Donauwörth.«

»Und was ist mit Doris?«

»Sei vernünftig, Junge. Wenn du statt meiner nach Kiesbach gehst, wird die Entfernung zwischen euch, Doris und dir, nur ein Bruchteil dessen sein wie von hier nach Kumyuva am Mittelmeer.«

»Du hast recht«, mußte Yakup Küçük zugeben. »Merkwürdig«, dachte er, »als er für mich die Deutschprüfung schreiben wollte, war ich dagegen, weil ich das für einen Betrug hielt. Daß wir aber jetzt unsere Identitäten tauschen wollen, nicht mehr als Spiel, sondern endgültig, das kommt mir so selbstverständlich vor.«

Immer noch wollte es keinem in den Kopf, daß Yakup Küçük in seine Heimat zurück sollte. Alle Kommilitonen waren traurig, als sie ihn, Jakob Klein – statt Yakup Küçük – zum Bahnhof brachten. Doris schluchzte.

Nachdem der Zug abgefahren war, der Jakob Klein nach Anatolien brachte, wandte sich Doris Yakup Küçük zu und sagte: »Dein Kumpel ist weg. Er ist weg. Ich weiß nicht, wie schlimm es für dich ist, aber ich – ich bin wie tot. Ich habe gar keine Kraft mehr.«

Selbst Doris, die dieses Spiel – der Tausch der Identitäten war ja für die beiden Zimmergenossen zunächst nur ein Spiel gewesen – anfangs durchschaut und im Gegensatz zu den anderen Jakob und Yakup nicht verwechselt hatte, war jetzt fest davon überzeugt, daß Yakup Küçük in dem Zug saß, von dem nach einer Minute nichts mehr geblieben war als ein nach Maschinenöl riechendes Staubgewölk.

Yakup Küçük legte seinen Arm auf Doris Schultern.

»Hör auf«, schrie Doris.

»Ich bin es doch«, flüsterte Yakup Küçük, »kannst du dieses Geheimnis für dich behalten?«

»Bist du es tatsächlich, Küçük?«

Yakup nickte, und Doris schmiegte sich an ihn. Fest umschlungen gingen sie den Weg zum Studentenheim zurück.

»Ohne ihn ist alles leer«, bemerkte Gisela beim Abendbrot in der Cafeteria. Norbert und Babsi nickten.

»Wir hatten uns so an ihn gewöhnt«, bemerkte Rolf, als er sein Brot bestrich.

»Jakob, wann gehst du denn nach Kiesbach?« fragte Manfred, um das Thema zu wechseln.

»Bald«, antwortete Yakup Küçük, und Doris lächelte vor sich hin. »Nur achtzig Kilometer«, tröstete sie sich, »Kiesbach ist nur achtzig Kilometer entfernt. Wir können oft telefonieren, und jedes Wochenende fahre ich zu ihm.«

Am Grenzübergang verglich ein Beamter das Foto in Yakup Küçüks Paß mit Jakob Kleins Gesicht und drückte dann seinen Stempel in den Paß mit dem ruhigen Gewissen eines pflichtbewußten Beamten. Jakob Klein lächelte erleichtert, als er den Paß in die Tasche steckte und sich an den letzten Abend im Studentenheim erinnerte. »Nimm doch den fliegenden Teppich«, hatte Yakup Küçük ihm geraten, »du kannst dir damit die Aufregung an den Grenzübergängen ersparen. Man weiß ja nie. Vielleicht merkt ein Beamter, daß du nicht ich bist.«

»Ach, was«, hatte Jakob Klein abgewunken, »ich habe dir alles weggenommen, dein Aussehen, deine Sprache, deine Erinnerungen, behalte wenigstens deinen fliegenden Teppich.«

Nun hatte er viele Grenzübergänge passiert, auch den letzten in Edirne, und freute sich, in vier Stunden in Istanbul zu sein.

Am Hauptbahnhof in Istanbul stieg er in den Zug um, der ihn ans Mittelmeer bringen sollte. Ein langgezogener Pfiff, dann Dampfwolken, die aus der Lokomotive aufstiegen. Kisten, Säcke und Körbe stapelten sich in dem engen Gang mit den rußigen Stahlwänden. Jakob Klein döste im Takt des Zuges, der durch die Hitze der Steppen voran schnaufte, später über Bergpässe kroch, wo die Felsenwände näher zusammentraten und in blauen Klüften die Bäche geheimnisvoll rauschten. Jakob Kleins Brust dehnte sich in einem warmen Heimatgefühl.

Als Jakob Klein ausstieg, erkannte er Kumyuva, »sein Heimatdorf«. »Seine Mutter«, die ein weißes Kopftuch trug, stürzte aus dem Holzhaus in der Mitte des Hofes und lief auf ihn zu: »Oglum, oglum! Mein Junge, mein Junge!«

»Ich habe dieses Jahr viel Schafkäse verkauft«, erzählte ihm »sein Vater« beim Essen. Nach dem Abendessen saßen sie auf dem hohen Diwan. In ihrem Rücken stapelten sich weiche Seidenkissen. Jakobs Finger streichelten das rötliche Kupfer des Samowars, und während er mit seinem Vater sprach, bemerkte seine Mutter, daß der Deutschlandaufenthalt ihm einen etwas ausländischen Akzent gegeben hätte.

»Mein Kind, du hast deine Muttersprache ein wenig verlernt.«

Doch der Vater zog die Augenbrauen in die Höhe, während er seinen Kaffee aus dem Moccatäßchen trank. »Nichts hat mein Sohn verlernt. Er ist wieder da, mein Junge, mein Fleisch und Blut. Jetzt gibt es keine Germanistik und kein Deutschland mehr. Er wird nun endgültig hier bleiben und ein guter Bauer werden wie sein Vater.« »Evet, baba. Ja, Vater!« flüsterte Jakob Klein mit einem Lächeln und saß im Schneidersitz gemütlich auf dem hohen Diwan.

»Es war einmal«, begann Yakup Küçük ein Märchen, als er im Klassenzimmer der Kiesbacher Grundschule mit leisen Schritten auf und ab ging und die Schülerinnen und Schüler mit großen Augen auf ihn sahen, »es war einmal ein Mann, der...«

Am Abend rief er Doris im Studentenheim an.

»Was macht die Geographie?«

»Sie macht Fortschritte. Übrigens, ich habe alle Landkarten im Institut durchstöbert und entdeckt, daß es weder ein Dorf in Deutschland namens Sandheim noch ein Dorf in der Türkei namens Kumyuva gibt.«

Sie sagte das nur leichthin, als ob sie das immer schon gewußt hätte. Von Anfang an.

»So?« entgegnete Yakup Küçük, »aber was macht das schon? Als Geographin weißt du sicher besser als ich, daß das Taurusgebirge die Verlängerung der Alpen ist, oder umgekehrt. Ursprünglich war es ein und dieselbe Bergkette, die sich über mehrere tausend Kilometer erstreckt und die Entfernung in stillen, blauen Klüften schmelzen läßt. Ist da ein Name, der Name eines Dorfes, so wichtig?«

»Es ist nicht wichtig«, flüsterte Doris am anderen Ende des Drahtes, »es ist überhaupt nicht wichtig.«

Und am nächsten Tag setzte Yakup sein Märchen in der Kiesbacher Grundschule fort. Gespannt hörten ihm die Kinder zu:

»Es war ein Mann, der aus einem fremden Land zu uns kam. Auf einem fliegenden Teppich. Er landete hier in Deutschland und tauschte sein Ich gegen ein anderes. Dieser Tausch wäre aber nicht nötig gewesen, denn der andere war niemand anderer als er selber.«

»Wie heißt denn diese Geschichte, Herr Lehrer?« fragte ihn die kleine Gabi.

»Jakob und Yakup«, antwortete der Lehrer nachdenklich.

»Wenn es aber ein und derselbe Mann war«, bemerkte der kleine Ibrahim, »dann müßte sie doch bloß ›Jakobs Geschichte‹ heißen.«

»Und woher stammte dieser Jakob?« wollte Sigi unbedingt wissen.

»Aus einem Dorf namens...« begann der Lehrer, schwieg aber plötzlich, um mit einem Glanz in den Augen, den die Kinder an ihm nicht kannten, leise fortzufahren: »Aus einem Dorf, das auf keiner Landkarte verzeichnet ist.«

Wir drehen einen Film

1

Ich wollte immer schon einen Film machen und denke oft, wie gerne ich eine Filmemacherin geworden wäre, obwohl ich auch meinen eigenen Beruf sehr liebe. Eigentlich hat mein Beruf schon gewisse Ähnlichkeiten mit meinem Traumberuf. Als Schriftstellerin erfinde ich Geschichten, in denen ich meine Heldinnen und Helden in Gedanken spiele. Als Schriftstellerin bin ich Drehbuchautorin und Schauspieler und Schauspielerin zugleich, und das finde ich schön, obwohl die Verinnerlichung dieser Rollen manchmal recht anstrengend ist. Dennoch wollte ich einmal einen richtigen Film machen, die Glanzwelt der Studios erleben und die harte Arbeit mit der Kamera. Deshalb bedauerte ich sehr, von diesem Metier nichts zu verstehen. Ich wußte nicht einmal, wie ich überhaupt Zugang zu der Traumfabrik Film finden sollte.

Geschichten habe ich genug im Kopf, die ich als Drehbuch ausarbeiten kann, obwohl ich bis jetzt noch kein Drehbuch geschrieben habe. Meine Spezialgebiete sind erzählende Prosa, Kurzgeschichten, Märchen und Novellen. Selbst wenn ich mich im Drehbuchschreiben versuchen würde, wäre es damit nicht getan. Damit ein richtiger Film entsteht, müssen ja noch viele ihren Beitrag dazu leisten. Man braucht als erstes einen Produzenten und einen Regisseur, dann einen Kameramann, dann die Techniker und Cutter, und... und... und...

In einer Zeit, in der mich derartige Gedanken beschäftigten, bot sich eine unerwartete Gelegenheit, die mir die Tore zur Filmwelt öffnete.

Ich wollte meinen Ohren nicht trauen, als mich zwei – ja zwei – Herren ansprachen, die die Produzenten meines Films sein wollten.

»Hans Deutsch«, stellte sich der eine höflich vor, indem er sich leicht verbeugte, »Sie haben so viele Geschichten veröffentlicht und haben auch so viele im Kopf. Wenn Sie für uns ein Drehbuch schreiben würden...«

»Aber, aber«, unterbrach ich ihn und konnte mich vor Staunen nicht fassen. Ein merkwürdiger Schauer überkam mich, ich war verwirrt und stammelte: »Ich gebe zu, meine Herren, daß es immer schon mein Wunsch gewesen ist, einen Film zu machen. Da Sie aber merkwürdigerweise davon zu wissen scheinen, müssen Sie auch im Bilde sein, daß ich gar keine Ahnung von diesem Metier habe. Und könnten Sie mir bitte sagen, woher Sie mich kennen?«

Der andere Herr, der sich als Mehmet Türk vorgestellt hatte und große Ähnlichkeit mit Hans Deutsch hatte (die beiden könnten Zwillingsbrüder sein), lächelte freundlich: »Sie sind doch Lale Gülen, eine deutschschreibende ausländische Autorin, nicht wahr?«

»So ist es«, entgegnete ich erleichtert und fühlte mich zugleich geschmeichelt, so berühmt zu sein.

Mehmet Türk fuhr fort: »Wir wollen einen Film über Ausländerprobleme machen. Nun, wie Sie wissen, ist das ein Thema, das in der Filmbranche bislang stiefmütterlich behandelt worden ist.«

»Ja, ja, Sie sagen es.«

»Und da Sie selber Ausländerin sind«, setzte Hans Deutsch das Gespräch fort, »können Sie die Lage unserer ausländischen Mitbürger besser beurteilen. Sie brauchen sich nicht einmal in die Person Ihrer Helden zu versetzen, da Sie ja selbst betroffen sind. Und ein Betroffener liefert die beste Geschichte.«

Ich konnte nicht anders, als mit erröteten Wangen zu nicken.

»Wir werden den Film finanzieren. Geben Sie sich etwas Mühe, und schreiben Sie Ihr Drehbuch.« Das war wieder Mehmet Türk. Dabei sah er mich mit ernstem Blick an, als wollte er mein Innerstes durchschauen.

»Nun ja«, stotterte ich. Diese merkwürdige Begegnung mit den beiden Herren, die ich verdutzt anstarrte, war wie ein Spiel meiner Phantasien, schien aber diesmal doch Realität zu sein.

Sie waren aus dem Nichts gekommen, als ich an einem Sonntagnachmittag im Englischen Garten spazierenging. Das Wetter war zwar sehr kalt, es war Mitte Januar, doch die Sonne schien über den Dächern und Türmen der Stadt und überzog sie mit einem Schimmer von Goldstaub. Die Sonne war fast zu grell für die Jahreszeit, und der Schnee blendete zusätzlich die Augen. Deshalb trugen wohl auch die beiden Herren dicke Sonnenbrillen.

Beide waren mittelgroß, hatten dunkelbraune Haare und waren für einen Spaziergang im Englischen Garten sehr vornehm angezogen. Auch ihre dunklen, bis oben zugeknöpften Mäntel mochte derselbe Schneider geschneidert haben. Sogar ihre eleganten Filzhüte, die sie tief in die Gesichter gezogen hatten, waren gleich.

Hans Deutsch rauchte eine Pfeife, Mehmet Türk hingegen eine Zigarre. »Aber wie kommen Sie auf mich?« fragte ich mit zitternder Stimme, »warum soll ausgerechnet ich Ihr Drehbuch schreiben?«

Wir gingen nebeneinander das Isarufer entlang, und unter unseren Schritten knirschte der gefrorene Schnee. Aufgeregt wirbelte ich mit der Fußspitze einen kleinen Schneesturm auf und biß nervös auf die Lippen.

»Ach«, winkte Hans Deutsch ab, »es ist völlig unwichtig, warum wir Sie ausgesucht haben. Wir wollen für solche Nebensächlichkeiten keine Zeit vergeuden. Wir wollen präzise Arbeit. Wir sind Perfektionisten.«

»Wer sind wir?« rief ich fast verzweifelt.

Seltsam war all dies, und meine Neugier begann zu wachsen. Es war aber nicht nur Neugier, sondern auch so etwas wie Widerwille und Unbehagen in mir.

»Wer sind wir?« grinste Mehmet Türk und blies den Rauch seiner Zigarre in graublauen Ringen in die Luft: »Wer alles dazu gehört, gnädige Frau. Der Regisseur, die Schauspieler, der Kameramann, die Techniker, und – und...«

Der Wind wehte schneidend vom zugefrorenen See herüber und trieb jetzt schneebeladene Wolken vor sich her.

Aus den Augenwinkeln beobachtete ich die anderen Spaziergänger und versuchte, möglichst ruhig zu wirken, obwohl mir das Herz bis in die Schläfen pochte. Ich beneidete die Spaziergänger, die diesen Sonntagnachmittag in vollen Zügen genießen konnten, während ich vor diesen beiden Herren zitterte und nicht wußte, wie ich mich verhalten sollte.

Kinder warfen mit Schneebällen, Hunde liefen brav neben ihren Herrchen, Liebespaare schlenderten fest umschlungen, und einsame Omas fütterten die Wasservögel. Auf dem zugefrorenen

See schwebten Schlittschuhläufer im Tempo eines heiteren Walzers, der aus einem Lautsprecher erklang. Die mit glitzernd-weißem Pulverschnee überzogenen Bäume schienen mir manchmal leblos wie Kristallbäume, im nächsten Augenblick aber kamen mir die dichten, flaumigen Schneeflocken an den Zweigen wie weiße Blüten vor.

Als ich so die Bäume betrachtete, hörte ich Hans Deutsch's plötzlich sehr fröhliche Stimme wie aus undenklichen Fernen:

»Ja, ja, wir drehen einen Film...«

»Herr Deutsch, Herr Türk«, fing ich entschlossen und energisch an, »nun lassen Sie mich bitte reden. Sie kommen mit einem wildfremden Projekt zu mir und erwarten von mir, daß ich mitmache, ohne mir etwas Konkretes gesagt zu haben.«

Dabei sah ich den Möwen zu, die über unseren Köpfen kreischten. Unter dem Blau des Himmels schwebten Wolkeninseln zum anderen Flußufer herüber.

Ich schlug den Kragen meiner Pelzjacke hoch, weil mir plötzlich kalt wurde. Trotz der dicken Wildlederstiefel froren auch meine Füße. Schaudernd nahm ich meine kalten Füße wahr. Ich hatte Angst, einfach Angst.

»Was wollen Sie denn wissen?« fiel Mehmet Türk ein. »Da ist nichts Kompliziertes. Sie wollten schon immer einen Film machen, und wir wollen Ihnen eine Chance geben. Wir werden Ihren Film finanzieren. Wir sind die Produzenten.«

Wir sind die Produzenten, schien der eisige Wind zu wiederholen und ließ die Fensterscheiben des Café »Seehaus« klirren.

»Noch etwas«, fügte Hans Deutsch hinzu, »als Autorin haben Sie natürlich völlig freie Hand. Sie können Ihre Geschichte so verfassen, wie Sie wollen. Allerdings werden wir hin und wieder ein bißchen, ein ganz kleines bißchen, eingreifen müssen, wenn wir es für nötig halten.«

»Aber nur dann, wenn wir es für nötig halten«, versicherte mir Mehmet Türk, »keine Angst, gnädige Frau, wir werden Ihr Drehbuch schon nicht verunstalten.« Seine Stimme war kühl, ruhig und unbewegt. Er fingerte an seinem Schal und streckte den Kopf wie ein Vogel, während er sprach. Und Hans Deutsch, der behaglich an seiner Pfeife sog, wiederholte bestätigend: »Wie gesagt, Sie haben völlig freie Hand.«

Ich steckte meine freie Hand in die Tasche der Pelzjacke, um sie zu wärmen, während ich mir eingestehen mußte, daß alles – trotz der Angst, die seit der Begegnung mit den Produzenten in mein Herz eingedrungen war – sehr verlockend klang und ich es kaum erwarten konnte, die anderen Mitarbeiter kennenzulernen.

Bevor die beiden Herren sich höflich von mir verabschiedeten, hatten sie versprochen, mich morgen mit dem Regisseur und dem Kameramann bekanntzumachen, die sie, vor allem was den Regisseur betraf, in den Himmel lobten. »Er ist sehr berühmt, ein meisterhafter Filmemacher, der große internationale Preise gewonnen hat. Sicher haben Sie von ihm gehört. Es ist Florian Filmer«, hatten sie mir zweistimmig zugeflüstert und dabei hintergründig gelächelt. Ich hatte vorschnell genickt und nichts gesagt, weil ich mich genierte, den weltberühmten Regisseur nicht zu kennen. Schließlich blieb mir nichts anderes übrig als zu lügen: »Natürlich kenne ich Herrn Filmer. Ich bin sogar ein Fan von ihm.«

»Um so besser«, grinsten die beiden Herren und machten sich dann buchstäblich aus dem Staub. Ich sah nicht, wie sie verschwanden, weil in dem Augenblick der durch die Bäume streichende Wind Schneelasten von den Ästen riß, die zwischen den Stämmen niedergingen. In diesem kristallenen Schneewirbel waren Hans Deutsch und Mehmet Türk einfach verschwunden, nachdem sie mir flüchtig die Hand gedrückt hatten.

Da mir die Straßenbahn oder der Bus zu langsam gewesen wären, nahm ich ein Taxi, um zu meiner gemütlichen Schwabinger Wohnung zu fahren, in der ich über die merkwürdige Begegnung nachdenken und mich von der Aufregung erholen wollte. Stärker aber noch war der Wunsch zum Schreiben.

Mit meinem Drehbuch wollte ich so bald wie möglich anfangen. Obwohl ich den Produzenten gestanden hatte, daß ich nichts davon verstand, ein Drehbuch zu schreiben, waren sie sehr großzügig gewesen. Sie hatten mir versichert, daß ich meine Geschichte schreiben sollte, wie ich das bis jetzt immer gemacht hatte. Florian Filmer würde dann daraus ein Drehbuch machen. Florian Filmer sei nicht nur ein erfolgreicher Regisseur, sondern auch ein namhafter Drehbuchautor, ein wahres Genie.

Die brennende Stirn an die kalte Taxischeibe gepreßt, betrachtete ich die Stadt, die hinter den Autofenstern vorüberglitt, sanft getönt von hinrinnenden Farben der sinkenden Sonne, und ich wollte mir ausreden, daß meine beiden Produzenten eher wie Gangsterbosse als Produzenten aussahen, so wie die Chicagohelden aus den Hollywoodfilmen der dreißer und vierziger Jahre. Vielmehr versuchte ich, diese Doppelgänger liebzugewinnen. »Die haben mir doch eine Chance gegeben«, redete ich mir im Taxi ein. Über den Dächern und Türmen dämmerte es. Die Wintersonne ging im giftigen Dunst unter, und der Abend kam mit düsterem Himmel. Kein helles Licht drang mehr durch die Wolken, die schwer auf die Stadt drückten. Die Berge, die sich so nah an die Stadt herangedrängt hatten, wurden allmählich unsichtbar. Der Wortsalat des Sprechfunkverkehrs drang in meine Gedanken hinein, als die letzten Abendlichter auf der spiegelglatten Isar spielten. Trambahnen glitten wie blaue Metallschiffe mit eiligem Geklingel durch das bunte Blechmeer der Autos. Dann aber wurde alles von der Dunkelheit verschlungen, bis die Straßenlaternen den Abend plötzlich erleuchteten.

Der Taxifahrer, ein freundlicher Bayer, interessierte sich weniger für die Funkdurchsagen oder die Verkehrsmeldungen der Servicewelle als für die Sportnachrichten des Regionalprogramms. »Der FC Bayern ist nicht zu schlagen«, beteuerte er ständig. »Was ist schon Werder Bremen? Eine Amateurmannschaft, gell? So ist es doch, gell?«

Ich tat so als ob ich ihm zuhörte, in Wirklichkeit hatte ich aber nur mein Drehbuch im Kopf.

2

Eine Geschichte schreiben. Kein Märchen. Nichts Surrealistisches. Eine ganz einfache Geschichte, die auch in der Wirklichkeit hätte vorkommen können. Denn oft übertrifft ja die Realität die Phantasie. Aber ein wenig Phantasie muß auch dabei sein.

Eine deutsch-türkische bzw. türkisch-deutsche Geschichte. Zum Beispiel: Ein türkischer Gastarbeiter kommt in Deutschland an... Heute ist es allerdings nicht mehr möglich, daß ein türkischer Gastarbeiter nach Deutschland kommt. Es gibt den Anwerbestop. Aber meine Geschichte spielt ja in den sechziger Jahren.

Der Gastarbeiter kommt in Deutschland an und findet keine freundliche Aufnahme.

Ach, dieses Klischee, dieses Schema F, von dem wir deutschschreibenden ausländischen Autoren uns so oft nicht befreien können...

Meine Geschichte darf keine gewöhnliche Geschichte sein. Sie muß etwas ganz Neues bringen. Nicht nur Haß und Feindseiligkeit. Sondern auch... Liebe, ja, Liebe.

Zum Beispiel: Der Gastarbeiter Ali verliebt sich in ein deutsches Mädchen.

Klassischer könntest du nicht sein, schimpfte ich mit mir. Ich stand auf und ging im Arbeitszimmer auf und ab, um mich besser zu konzentrieren. Ich öffnete das Fenster und atmete mit der eiskalten Luft den Abgasgestank ein. Durch die Nacht strahlten zahllose bunte Neonlichter: Escorial-Grün, Raiffeisen-Bank, Laß dir raten... Ich spürte, daß jedes dieser Lichter in mich hineinflimmerte, bis es in mir brannte. Diese Nacht war anders als jede Nacht. Voll wilder Regsamkeit. Und auch gefährlich.

Ein Betrunkener schrie, dann hörte ich die gellenden Pfiffe der diensthabenden Polizisten und der schwarzen Sheriffs. Alles einsatzbereit. Auch die Krankenwagen mit ihren grellen Sirenen, die die Nacht zerrissen. Herzanfälle oder Schlägereien? In den endlosen Autolärm mischten sich heiße Discomelodien. Das gehört dazu, dachte ich. Das hier ist eine Großstadt. Noch dazu eine Weltstadt. Mit Herz...

Einst soll Schwabing ein Dorf gewesen sein. Dann ein elegantes Stadtviertel, ein Künstlerviertel. Viele der schönen alten Häuser, die in den letzten Jahren renoviert wurden und jetzt wie Theaterrequisiten aussehen, haben an ihren Eingangstüren Schilder wie: Hier lebte von 19... Das jetzige Schwabing hat aber von dem damaligen Glanz nur wenig behalten.

Als ich mit diesen Gedanken das gegenwärtige Schwabing vor meinem Fenster betrachtete, mußte ich mir eingestehen, daß das nur ein Ablenkungsmanöver war, das mir helfen sollte, die Unruhe in mir zu vertreiben.

Bevor die beiden Produzenten sich von mir verabschiedet hatten, hatten sie mich einen Vertrag unterschreiben lassen, einen Vertrag mit der Filmgesellschaft Grün. Den Namen »Grün« hatte ich mit Grünwald, dem Zentrum der bayerischen Filmstudios, verknüpft, und er war mir deshalb auch sehr glaubwürdig vorgekommen, so daß ich ohne Bedenken unterschrieben hatte.

Erst als ich zu Hause war, hatte ich Verdacht geschöpft und im Telefonbuch und Branchenverzeichnis vergeblich nach einer Filmgesellschaft namens Grün gesucht. Nun hatte meine Verzweiflung ihren Höhepunkt erreicht. Immer beunruhigender war mir mein wirres Angstgefühl.

Worauf habe ich mich bloß eingelassen, fragte ich mich und hätte mich ohrfeigen können. Das Ganze erschien mir wie ein gefährliches Abenteuer. Es gibt keine Filmgesellschaft »Grün«, es gibt keinen Film, die vermeintlichen Produzenten sind nur Gangsterbosse, die mich aus irgendeinem mir noch unbekannten Grund gewaltsam in ein häßliches Spiel hineinzerren wollen, dachte ich schaudernd, und es war mir, als gerinne mir das Blut in den Adern. Doch obwohl ich die Gefahr witterte, sie mit meinem Verstand klar begriff, riß mich die Lust am Abenteuerlichen immer weiter und weiter in einen unsichtbaren Abgrund hinab. Einerseits spürte ich, daß etwas in mir widerstrebte, eine Geschichte für Hans Deutsch und Mehmet Türk zu schreiben, andererseits aber brannte es in mir in den Fingern, meine Ideen auf den Tasten der Schreibmaschine loszuwerden.

Kein Happy-End, sagte ich mir, ein trauriges, ja sogar ein tragisches Ende. Vielleicht mit Tod und so.

Die nächtlichen Sirenen, die mich aus meiner Versunkenheit rissen, gaben mir die Idee, Sirenen und Schwabinger Nacht-Szenen auch in meinen Film hineinzubringen. Polizeisirenen. Kämpfe zwischen rivalisierenden deutschen und türkischen Rockerbanden. Das tragische Ende sollte die Sinnlosigkeit des Hasses zeigen. Ja, eine Geschichte der zweiten Generation.

Ich griff nach dem Zigarettenpäckchen, während ich versuchte, die Handlung meiner Geschichte zu erweitern. Zum Beispiel: Mein Ali gehört zur ersten Generation. Er hat sich nicht in eine Deutsche verliebt, weil er schon verliebt war, als er nach Deutschland kam. In eine Landsmännin, in seine Braut, die er in seinem Dorf zurücklassen mußte, aber später heiratet und auch nach Deutschland kommen läßt (damals waren ja die Bestimmungen noch nicht so hart). Seine Frau hat ihm in Deutschland Kinder geboren. Der älteste Sohn, Murat, ist jetzt 19, hat als ausländisches Kind weder eine gute Schulbildung noch eine andere Ausbildung genießen können. Vergeblich sucht er eine Arbeit oder eine Lehrstelle, alle Türen werden ihm vor der Nase zugeschlagen. Die Verzweiflung treibt ihn dazu, sich einer türkischen Rockerbande anzuschließen.

Eilig steckte ich mir noch eine Zigarette an, um Murats Geschichte fortsetzen zu können. Und während ich den Rauch in blauen Ringen von mir blies, hatte ich die Fortsetzung schon im Kopf: Murat ist in ein deutsches Mädchen verliebt. Helga liebt ihn auch, aber... Aber es gibt die Schranken. Nicht nur bei Grenzübergängen. Der Feind hießt Vorurteil. Vorurteil und Haß, die die Vereinigung der Liebenden verhindern.

Immer besser gefiel mir meine Geschichte, je mehr sich die Einzelheiten der Handlung in meinem Kopf entfalteten. Ich schloß das Fenster und ging zum Schreibtisch. Meine Finger begannen, auf den Tasten der Schreibmaschine zu hüpfen.

Zum Beispiel: Helga und Murat dürfen sich nicht lieben, weil Helgas Brüder in der rivalisierenden deutschen Rockerbande sind. Sie haben ihrer Schwester strengstens verboten, Murat zu sehen. Und auch Murats Eltern und Freunde wollen Helga nicht, weil sie eine Deutsche ist. Meine Zigarette erstickte im Aschenbecher, während Helga zu Murat sagte: Es muß doch einen Ort für uns geben, wo wir in Frieden leben können.

Ich zerquetschte die Zigarette im Aschenbecher und beugte mich wieder über die Schreibmaschine:

So entschließen sich die Liebenden zu fliehen.

Dann? Ja, dann?

Helga ist erst 17, tippte ich, also minderjährig.

Ich tippte weiter: Murat und Helga werden verraten.

Als die deutsche Rockerbande von der Flucht der Liebenden erfährt, erklärt sie den türkischen Jugendlichen den Krieg.

»Krieg«, schreien sie im Chor. Die Augen funkeln voller Haß. Aber Murat kämpft nicht mit. Die Liebe besiegt den Haß. Er wird seinen Kameraden untreu und nimmt am Krieg nicht teil, weil er Helga versprochen hat, nie wieder zu kämpfen.

Der Krieg findet in einer schwarzen Nacht in den Gassen von Schwabing statt. Aus den dunkelsten Ecken der Gassen und Discotheken kriechen deutsche und türkische Jugendliche in schwarzen Lederjacken hervor und versammeln sich in der Occam- oder Haimhauserstraße. Taschenmesser und Fahrradketten glitzern in ihren Händen.

Der nächtliche Krieg ist aber nicht der Höhepunkt des Films.

Das eigentliche tragische Ende bildet die Verfolgung der Liebenden am nächsten Tag, die es bis zum Flughafen schaffen. Dort beginnt die schreckliche Jagd mit Sirenengeheul.

Flughafen. Im Hintergrund metallisch klingende Durchsagen: Attention please, last call for passengers to... usw. Helga und Murat fest umschlungen – kurz vor der Paßkontrolle. Und dann – dann haben vor den Polizeistreifen die kämpfenden Jugendlichen den Flughafen erreicht. Dann fallen Schüsse. Tödlich verletzt sinkt Murat in die Arme seiner Geliebten, die sich zärtlich über ihn beugt und schreiend klagt: Warum mußten wir immer so leben, als ob es Krieg gebe...?

Als ob es Krieg gebe. Wie ein Klagelied, ja ein Lied.

Die ganze Geschichte könnte doch mit Liedern geflochten werden. Liebes-, Kampf- und Klagelieder.

Dann müssen wir aber auch einen Komponisten finden, dachte ich aufgeregt, der eine orientalisch gefärbte, aber westliche Musik zu meiner Geschichte schreibt. Mit viel Romantik und Melancholie und einer dramatischen Spannung in den Kampf- und Sirenen-Szenen.

Und als ich so dachte, glitt ich wie betäubt immer tiefer in meine Geschichte hinab.

Es war, als ob die Schreibmaschine meine Geschichte von alleine schrieb. Immer neue Ideen kamen mir, die die Schreibmaschine in Zeilen verwandelte.

Die Geschichte von Murats Vater in Rückblenden: Alis Ankunft in Deutschland. Ali am Flughafen. Mit Bauernmütze und einem schüchternen, unsicheren Lächeln.

Dann: Ali am Fließband. Alis Sehnsucht nach der Braut. Alis Heimweh.

Jahre später: Murat, der Sohn, kann seinen Vater nicht verstehen. Unüberbrückbare Kluft zwischen den Generationen. Murat hat kein Heimweh, weil er nicht einmal eine Heimat hat.

Ich war so voll Gefühl, daß es mich im Innersten traf, daß ich die Hand an die Brust pressen mußte, unter der das Herz schmerzhaft hämmerte.

Morgen, morgen, klang es in mir nach, morgen wird Florian Filmer meine Geschichte haben und aus ihr ein Drehbuch machen, das schönste Drehbuch, das es je gegeben hat.

Gegen drei Uhr in der Frühe war meine Geschichte zumindestens in ihren Grundzügen fertig, und ich fühlte mich so erfüllt, daß ich das ungute Gefühl gegenüber den beiden Produzenten fast vergessen hatte. Ich verließ meine Schreibmaschine, doch kam es mir vor, als ob sie noch von alleine weitersummte, als ich mir vor dem Schlafengehen die Zähne putzte.

Ich warf mich auf mein Bett, wo ich wie ein Fieberkranker in die seltsamsten Träume versank. Lange Zeit konnte ich nicht wirklich einschlafen, weil ich innerlich weiterhin mit meiner Geschichte beschäftigt war, für die ich noch nicht einmal einen Titel hatte. Soll ich sie einfach »Murat und Helga« nennen, fragte ich mich, als die Müdigkeit mich schließlich zu besiegen begann. Ich fiel in einen tiefen Schlaf voller Träume. Die Bilder waren von ergreifender Deutlichkeit: Schlägereien in halbdunklen Gassen und Discotheken von Schwabing, funkelnde Taschenmesser und endlos heulende Sirenen. Da riß mich ein anhaltendes Klingeln aus dem Schlaf.

3

Es war erst neun Uhr morgens, und Hans Deutsch stand vor der Tür. Er begrüßte mich mit einem kalten »Guten Morgen«, schob mich über die Schwelle zurück und betrat meine Wohnung, ohne daß ich ihn hereingebeten hatte.

»Sagen Sie mir bloß nicht, daß Sie noch geschlafen haben, als ich bei Ihnen klingelte, Gnädigste.«

Diesmal trug er keine Sonnenbrille, wohl aber den Filzhut und auch einen dunklen Schal, der das Gesicht bis zur Hälfte verdeckte. Obwohl er auf diese Weise fast vermummt war, stachen die verzogenen Gesichtsmuskeln so stark hervor, daß sie das Gesicht zu einer schreckenerregenden Maske umformten.

»Nun ja«, versuchte ich mich zu verteidigen, »ich habe doch fast die ganze Nacht gearbeitet.«

»Trotzdem«, brummte Hans Deutsch, »Disziplin muß sein, wenn wir miteinander auskommen wollen. Haben Sie wenigstens Ihre Geschichte fertig?«

»Ja, sie ist fertig«, antwortete ich stolz und erinnerte mich an das nächtliche Abenteuer während des Schreibens. Trotz meiner Schläfrigkeit war der Morgen so ernüchternd, daß diese Ernüchterung die wunderbare Erinnerung an die Nacht wie ein verschwommenes Bild und meine Geschichte nur noch wie eine flüchtige Bilderfolge hinter einem Nebel erscheinen ließ, so weit von mir entfernt, als ob sie nicht von mir stammte.

»Ihre Geschichte ist fertig? Na prima!« rief Hans Deutsch. »Und hoffentlich haben Sie nicht vergessen, daß wir heute mit dem Regisseur verabredet sind. Florian Filmer wartet schon auf uns.«

Natürlich hatte ich das nicht vergessen und war sehr aufgeregt, den weltberühmten Regisseur endlich kennenzulernen.

Als wir meine Wohnung verließen und zum schwarzen Mercedes gingen, der auf der anderen Straßenseite geparkt war, hatte ich einen trockenen Hals, und mein Herz schlug heftig. Die Straßen waren schwarz von dem Grus, der auf den Schnee gestreut worden war. Da es nicht mehr so kalt war, tröpfelte der Schnee von den Dächern, und die Luft legte sich wie ein nasses Tuch um mich.

Als wir neben dem schwarzen Mercedes standen, zerrte Hans Deutsch einen Schlüsselbund aus der Tasche. Nachdem er mich mit oberflächlicher Höflichkeit hatte einsteigen lassen, setzte er sich ans Steuer und schlug die Wagentür zu. Als er den Zündschlüssel drehte und den Motor warmlaufen ließ, fragte ich zögernd nach seinem Kollegen Mehmet Türk.

»Er ist heute verhindert«, erklärte Hans Deutsch etwas verlegen, »doch sonst wird er immer dabei sein.«

Sein Blick war schwarz und leer und starr gegen mich gewandt. Obwohl meine Stimme zitterte, faßte ich Mut und erzählte Hans Deutsch, daß ich im Telefonbuch und auch in den Gelben Seiten die Filmgesellschaft Grün nicht gefunden hätte. »Ach so«, lachte er auf, wurde aber gleich wieder ernst. »Deshalb wirken Sie also so mißtrauisch. Aber, aber, meine Dame, ich bitte Sie. Vertrauen ist die Basis einer gedeihlichen Zusammenarbeit.«

Während er so sprach, scherte er aus der Parklücke aus und fuhr die Leopoldstraße Richtung Odeonsplatz, und seine Hände lagen locker am Lenkrad. »Sie müssen wissen, wir sind eine nagelneue Gesellschaft. Die Firma Grün ist erst vor kurzem gegründet worden, deshalb steht sie noch nicht im Telefonbuch und auch nicht in den Gelben Seiten. Aber keine Sorge. Wir sind an die großen Filmgesellschaften angeschlossen. Auch wir arbeiten in den Grünwalder Filmstudios.«

Mehr wollte mein Produzent nicht verraten. Über das Lenkrad gebeugt fuhr er durch die schneematschigen Straßen und schwieg. Er runzelte die Stirn mehr und mehr und machte ein so mißmutiges Gesicht, daß ich nicht weiter zu fragen wagte.

Es war ein grauer Morgen mit Wolken, die über die Türme der Stadt wie rasende Tiere jagten. Während der Fahrt blickte Hans Deutsch starr geradeaus, bis ein schwaches, silbriges Licht die Wolkendecke durchbrach und die Stadt ein wenig aufleuchten ließ. Nach einer Fahrt, die mir wie eine Ewigkeit vorkam, in Wirklichkeit aber sehr kurz gewesen sein dürfte, da der Stadtteil, in dem wir jetzt waren, wie Bogenhausen aussah, und Bogenhausen von Schwabing nicht weit entfernt ist, läuteten wir bei Florian Filmer. Er wohnte in einer prächtigen Villa, die sich mit stiller Säulenpracht vor mir erhob, von einem winterlichen Garten umgeben. An der metallenen Gartentür war die Klingel angebracht mit dem großen Namensschild: FLORIAN FILMER. Darunter hing ein zweites Schild mit der Warnung: Vorsicht, bissiger Hund.

In der Tat drang aus dem Haus ein anhaltendes Bellen, als Hans Deutsch die Klingel betätigte.

»Maxi, brav Maxi, gell? Sitzen, Maxi«, hörten wir den Regisseur rufen, worauf das Gebell schlagartig aufhörte. Der automatische Türöffner summte zweimal hintereinander, die Flügel der Gartentür öffneten sich, und wir, Hans Deutsch und ich, betraten den Garten. Der Springbrunnen in der Mitte des Gartens war stillgelegt. Schmutzige Schneereste bedeckten die moosbewachsenen Brunnenschalen. Auf dem marmornen Grund lagen einige tote Goldfische.

Während wir durch den Garten zum Haus gingen, waren Hans Deutschs Schritte schnell, herrisch und hart. Ich ging neben Hans Deutsch, von geheimnisvoller Macht angezogen. Die Haustür stand offen. Ein Dienstmädchen führte uns in das weite Wohnzimmer, das eher ein Saal war, ein runder Saal, dessen Wände mit purpurgesprenkeltem Marmor bekleidet waren. An der Wand hing ein riesiger, vom Boden bis zur Decke reichender Spiegel. Die Decke des Saales war goldverziert. Der indische Teppich auf dem getäfelten Fußboden hatte einen hellen Naturgrund mit blauen Rankenmustern. In den Ecken standen riesige Blumentöpfe mit fremdartigen unbekannten Blumen.

»Ein historischer Augenblick«, bemerkte Hans Deutsch mit einem provozierenden Lächeln, »die Autorin und der Regisseur lernen sich kennen.«

Der Regisseur, der mit dem Rücken zum Eingang vor dem Kamin stand, drehte sich um und kam auf mich zu: »Da wir eine Zeitlang zusammen arbeiten werden, schlage ich vor, daß wir uns duzen.«

Er sprach mit einer sanften, leicht melancholischen Stimme. Als ich diese Stimme hörte, zog sich mir das Herz zusammen.

»Warum nicht?« versuchte ich zu lächeln.

»Ich bin der Florian«, sagte er, als er mir die Hand gab, »und du bist die Lale, Lale Gülen, meine türkische Kollegin, willkommen in der Welt der laufenden Bilder.«

Florian Filmer war ein großer, schlanker Mann, dessen Alter man nur schwer erraten konnte. Er mochte dreißig, aber auch schon fünfzig sein. Aus seinem blassen Gesicht funkelten zwei blaue Augen wie Blitzstrahlen. Seine Haut war wie durchsichtiger Marmor. Die glatten, blonden Haare waren fest nach hinten gekämmt. Ein schwarzes seidenes Halstuch wurde unter dem Adamsapfel mit einer diamantenen Brosche zusammengehalten. Florian Filmer hatte weiße Hände mit langen, schlanken Fingern.

Als ich Florian Filmer betrachtete, spürte ich, daß er Hans Deutsch nicht mochte. Dies wäre ein Grund gewesen, den Regisseur zu mögen, ja in ihm einen Verbündeten zu sehen, hätte er nicht mit seinem ganzen Wesen Angst und Unsicherheit ausgestrahlt.

»Eine harte Arbeit steht uns bevor«, murmelte Florian Filmer, nachdem er dem Dienstmädchen befohlen hatte, uns Tee zu bringen. Dann sagte er plötzlich zu Hans Deutsch: »Sie können ja gehen. Vorläufig brauchen wir Sie nicht.«

»Das meinen Sie«, brummte Hans Deutsch, während er seine Pfeife stopfte, und fuhr kühl und unbewegt fort: »Damit wir von vornherein klare Verhältnisse haben: Als Produzenten dieses Films werden wir, mein Kollege Mehmet Türk und ich, immer dabei sein, wenn gearbeitet wird. Verstanden?«

Er sah uns mit einem Blick an, der mir ins Mark fuhr. In Florian Filmers Gesicht stiegen Schatten auf. »Meinetwegen«, murmelte er verdrießlich und schwieg, während er uns Tee einschenkte. Auch Hans Deutsch schwieg. Florian Filmer ging zum Kamin und begann darin herumzustochern, bis die glimmende Kohle Funken schlug und die Flammen auf dem Kleinholz tanzten und die rußige Innenwand des Kamins empor züngelten. Dann drehte er sich um und begann mit ruhigen Blicken Hans Deutsch anzustarren, während dieser mit gerunzelter Stirn seinen Tee trank. Es war wie ein stummer Kampf zwischen dem Regisseur und dem Produzenten. Um mich abzulenken, sah ich mich gelangweilt um. Florian Filmers Wohnung zeugte von harter Arbeit. Überall lagen halb- oder vollgeschriebene Blätter mit Notizen herum. Auch Florian Filmer schien sich die Nacht um die Ohren geschlagen zu haben. Er hatte blaue Ringe unter den Augen. »Gib's her«, sagte er plötzlich, und da ich ihn verdutzt anstarrte, fügte er hinzu: »Das Drehbuch meine ich.« Ich gab ihm die Blätter, die ich in der vergangenen Nacht vollgeschrieben hatte.

Während er meine Geschichte las, ging er auf und ab. Sein Gesicht ließ nicht erraten, ob ihm die Geschichte gefiel oder nicht. Während er las, bellte Maxi hin und wieder, und Hans Deutsch klopfte seine Pfeife im Kamin aus. Florian Filmer führte Selbstgespräche: »Hmm, hmm, Jugendliche, rivalisierende Jugendbanden, Messerstechereien, die erste Generation in Rückblenden...« Manchmal schloß er die Augen, als wolle er sich die Szenen vorstellen.

Er überflog die letzte Seite, legte das Manuskript auf das Klavier neben seinem Schreibtisch und schwieg. »Die Musik«, sagte er plötzlich, »das ist eine wunderbare Idee. Wir brauchen noch Lieder, damit alles vollkommen ist. Eine orientalisch gefärbte, aber westliche Musik. Eine Mischung, versteht sich. So eine Art Ravell oder Korsakoff im modernen Stil...«

»Und wie findest du die Geschichte?« brachte ich mühsam heraus, »wirst du aus ihr ein Drehbuch machen?«

»Deine Geschichte finde ich toll, Mädchen«, entgegnete Florian Filmer, »das ist genau die Grundlage für das Drehbuch. Viel Action und Romantik, Brutalität und Zärtlichkeit. Ein Kassenerfolg und anspruchsvolle Sozialkritik zugleich.«

»Ein Kassenerfolg?« wiederholte Hans Deutsch mit gespitzten Ohren.

Dann aber wurde er nachdenklich.

»Sie sagten Musik?« fiel er Florian Filmer in die Rede.

»Ja«, rief Florian, »Sie sollten einen Komponisten engagieren. Sie haben ja gehört, was ich mir unter unserer Filmmusik vorstelle. Westöstliche Klassik auf Leicht. Mit dramatischer Spannung und tiefer Melancholie. Verstehen Sie, was ich meine?«

»Ich verstehe sehr gut«, entgegnete Hans Deutsch.

»Wenn Sie den Komponisten haben, soll er mir hier sein Werk vorspielen.« Florian Filmer zeigte mit einer Kopfbewegung auf das Klavier.

»Das wird teurer werden, als wir es uns vorgestellt haben«, meinte Hans Deutsch, »aber was soll's? Für einen guten Film soll man sich nicht vor Ausgaben scheuen.«

»Sie haben auch den besten Kameramann engagiert, nicht wahr?« versuchte sich Florian Filmer zu vergewissern.

»So ist es. Klaus Kammer wartete schon auf uns im Studio.«

Seit ich Florian Filmer kannte und mich davon überzeugen konnte, daß er sein Handwerk verstand, begann ich zum ganzen Projekt Vertrauen zu gewinnen. Ich betrachtete es allmählich nicht mehr als eine Spielerei, sondern als eine seriöse Angelegenheit, mit der ich die Chance bekam, in die Welt der laufenden Bilder, in die Fabrik der Träume einzusteigen. Meine Angst und innere Unruhe vergingen, und ich spürte, daß meine Wangen vor Aufregung heiß wurden und sich hochrot färbten.

»Noch etwas«, rief ich mit einer Stimme, die das Gefallen an diesem Unternehmen nicht verdecken konnte: »Der Titel. Wir haben immer noch keinen Titel für unseren Film.«

»Richtig«, murmelte der Regisseur, »laß mich überlegen, Mädchen. Der Titel muß sehr ausdruckskräftig sein. Er muß dramatische Spannung und zarte Romantik zugleich beinhalten.«

»Und auch die Liebe«, unterbrach ich ihn.

»Ja, ja«, kreischte Hans Deutsch, »zum Beispiel: Liebe neue Heimat.«

»Nicht doch«, widersprach ihm Florian Filmer, »ich suche einen Titel, in dem meine Lieblingswörter vorkommen wie ›Nacht‹ oder ›Sehnsucht‹... Ein kurzer, aber ausdrucksfähiger Titel...«

»Liebe neue Heimat«, wiederholte Hans Deutsch beharrlich.

»Nein«, rief Florian Filmer mit vor Erregung zitternder Stimme, »Begriffe wie ›Fremde‹ oder ›Heimat‹ sind in Bezug auf die Ausländerthematik so oft verwendet worden, daß sie klischeehaft wirken. So einen Titel will ich nicht.«

In diesem Augenblick meldete das Dienstmädchen, daß der Wagen, der uns zum Studio bringen sollte, vorgefahren sei.

Obwohl es von Bogenhausen bis Grünwald ziemlich weit ist, war die Fahrt diesmal sehr kurz. Der Ort, den wir nach wenigen Minuten erreichten, sah mit seinen Villen und langen Alleen dennoch bereits wie Grünwald aus. Das Filmgelände war eine Riesenanlage mit vielen Studios. Mein Herz schlug vor Entzücken und Erwartung, als der Pförtner am Haupttor die Schranke hochgehen ließ, nachdem er sich mehrmals vor dem Regisseur und dem Produzenten verbeugt hatte.

Ein echte Traumfabrik, wie ich sie mir immer vorgestellt hatte. In jedem Raum wurde gerade ein neuer Film fabriziert. Beim Vorbeigehen versäumte ich es nicht, überall einen Blick hineinzuwerfen. Ich schwebte wie in einem Rausch daher, atmete tief den Geruch von Staub, Schweiß, Puder und frischen Farben ein, fühlte mich überhitzt wie eine Maschine und zugleich verloren inmitten der Portale, Säulen und Kabinette.

Es liefen Damen und Herren herum, teils in historischen Kostümen, teils als Indianer oder Gangster, als Punks oder Clowns, als Monarchen oder Sklaven verkleidet. Auf mobilen Leitern saßen Regisseure, die mit Megaphonen vor dem Mund herumkommandierten: »Mehr Action, Jungs, noch glaubwürdiger, noch brutaler. Lächeln, Lili, du sollst die Brüste zeigen, Lili, auch die Beine, komm schon!«

Und überall summten die Kameras.

In dem Raum, in dem wir arbeiten wollten, stand ein Klappstuhl in der Mitte. Auf der Rücklehne war in großen Buchstaben der Name unseres Regisseurs zu lesen: FLORIAN FILMER.

Der Kameramann Klaus Kammer kam tänzelnd auf uns zu: »Na, wo steckt ihr denn?«

Da er unter dem rechten Arm die Kamera hielt, konnte er uns nicht die Hand geben, stattdessen lachte er belustigt: »Ihr habt euch aber ganz schön Zeit gelassen, was?« Im Gegensatz zu dem Regisseur machte der Kameramann keinen seriösen Eindruck auf mich. Er war ein viel zu legerer, etwas vergammelt aussehender Typ. Die langen, fettigen Haare hatte er am Hinterkopf mit einer dünnen Schleife festgebunden. Er trug einen langen, braunen Bart und eine Brille mit runden Gläsern, die ständig auf die kleine, spitze Nase fiel. Er sprach etwas unverständlich, weil er immer einen Kaugummi im Mund hatte.

»Wo drehen wir denn, meine Süßen?« fragte er lässig.

»Nicht so hastig«, fiel ihm Hans Deutsch in die Rede, »wir sind noch nicht so weit. Heute wird noch nicht gedreht.«

»Jawohl«, entgegnete Klaus Kammer und blickte gelangweilt in die Runde, während Hans Deutsch fortfuhr: »Die Story haben wir schon, muß aber noch überarbeitet werden. Außerdem müssen wir noch die Schauspieler finden.«

»Ach ja, die Schauspieler«, wiederholte Klaus Kammer mit selbstgefälligem Grinsen.

Florian Filmer hatte sich auf seinem Stuhl niedergelassen und die Beine übereinandergeschlagen. Plötzlich sagte er entschlossen: »Die Schauspieler suche ich mir selbst aus. Schließlich ist das mein Film.«

»Nein«, kreischte Hans Deutsch, »das ist mein Film, unser Film, der ein Kassenerfolg sein wird. Die Schauspieler engagieren wir, Mehmet Türk und ich, verstanden?« Er durchbohrte uns mit finsteren Blicken: »Morgen treffen wir uns wieder hier um dieselbe Zeit. Dann bringen wir auch die Schauspieler.«

Spöttisch blickte er in die Runde und verabschiedete sich: »Also dann, meine Herrschaften«, sagte Florian Filmer und streckte die Zunge heraus, nachdem Hans Deutsch im Türrahmen verschwunden war. Der Regisseur schien erleichtert und begann, seinen Leuten Anweisungen für die Requisiten zu geben.

Für Alis Ankunft in Deutschland wurde innerhalb kurzer Zeit ein kompletter Flughafen aufgestellt, ein Riem aus Pappe. »Fabelhaft«, rief ich mit erröteten Wangen, »jetzt fehlt uns nur noch der Ali.«

4

Am nächsten Morgen brachten Hans Deutsch und Mehmet Türk die Schauspieler. Ich aber traf mich viel früher mit Florian Filmer zum Frühstück in der Studiokantine. Florian sah übernächtigt aus. Er mußte die ganze Nacht am Drehbuch gearbeitet haben.

»Ich habe«, begann er mit weicher Stimme, »einiges leicht geändert, Mädchen, um einen wichtigen Aspekt, den du bloß angedeutet hast, stärker zum Ausdruck zu bringen. Am Leiden dieser Menschen, deiner Helden, meine ich, sind eigentlich die beiden Staaten schuld, Deutschland und die eigene Heimat, nicht wahr?«

»Es ist wahr«, nickte ich und trank meinen Kaffee mit einem starken Zug aus.

»Die Verantwortungslosigkeit«, fuhr Florian Filmer fort, »und die Gedankenlosigkeit. Die eigene Heimat sah und sieht in diesen Menschen nur Arbeitstiere, die Devisen bringen. Sie hat sie ins Ausland geschickt, ohne an die Folgen zu denken. Aber sieh da: die zweite Generation wächst schnell heran. Eine kaputte Generation, ohne Heimat, ohne Vergangenheit und Zukunft. Das ist dein Murat, unser Murat.«

»So ist es.« Ich schenkte mir mit zitternden Händen den nächsten Kaffee ein, ohne meine Augen von Florian Filmers sanftem Gesicht wenden zu können.

»Deutschland hingegen«, setzte Florian Filmer seinen Monolog fort, »hat praktisch das gleiche getan. Verantwortlichkeit: Null. Menschlichkeit: Keine. Es sah und sieht in diesen Menschen ebenfalls nur Arbeitstiere, die ihr Scherflein zum Aufbau der Industrie beitragen sollten. Nun ist aber ihre Aufgabe getan, und sie interessieren nicht mehr. Gerade diesen Aspekt, die Verantwortungslosigkeit und das Desinteresse gegenüber dem Schicksal dieser Menschen, habe ich in das Drehbuch gebracht, symbolhaft dargestellt durch die scheiternde Liebe zweier junger Menschen, die am Schluß als Opfer dieser unmenschlichen Politik dastehen.«

»Ja, ja«, nickte ich aufgeregt und hielt die Kaffeetasse umklammert, »das hast du gut gemacht, Florian. Natürlich ist das ein sehr wichtiger Aspekt, den ich vor lauter Sentimentalität nicht deutlich genug zum Ausdruck gebracht habe.«

»Klar«, lächelte er, von sich selbst und auch ein wenig von mir überzeugt, schleckte den Kuchenlöffel ab, legte ihn auf den Teller und fuhr mit zarter Stimme fort: »Wir wollen ja schließlich keine Schnulze machen, nicht wahr? Der Film trägt ja meine Unterschrift. Er muß anspruchsvoll und sozialkritisch sein.«

Obwohl ich Florian Filmer etwas eingebildet fand, und seine tiefblauen Augen, aus denen es wie Blitze strahlte, mir immer noch etwas Angst machten, begann ich ihn plötzlich lieb, ja sogar sehr lieb zu haben, was ich von den beiden Produzenten weiterhin nicht behaupten konnte.

Nun standen die beiden Herren mit ihren Schauspielern vor uns und blickten prüfend auf die Flughafen-Dekoration im Studio.

Ali und dessen Sohn Murat sollte derselbe Schauspieler spielen. Er sollte in den Händen der Maskenbildnerin entsprechend geschminkt werden. Es handelte sich um einen deutschen Schauspieler mit hellblonden Haaren und hellblauen Augen. Er hatte angeblich in vielen bekannten Spielfilmen mitgewirkt, die ich aber leider nicht kannte: Helmut Hallenberger. Er ging mit jugendlichem Schritt und produzierte ein routiniertes Lächeln, bei dem die weißen Zähne unter den schmalen Lippen glänzten.

»Ist doch absurd«, schrie Florian Filmer und schlug sich mit der Hand gegen die Stirn, »für diese Rollen brauche ich zwei türkische Schauspieler, das ist glaubwürdig. Was soll ich denn mit Helmut anfangen?«

Helmut starrte vor sich hin und fingerte an seiner Krawatte. Mit seinem weichen Babygesicht war er die Unschuld in Person.

»Ich habe mich ja nicht um diese Rolle gerissen, Flori-Boy«, sprach er zum Regisseur, »aber Herr Deutsch und Herr Türk wollten mich unbedingt für die Hauptrolle.«

»Er wird doch eine schwarze Perücke tragen«, versuchte Mehmet Türk den Regisseur zu beruhigen.

»So ein Playboytyp als türkischer Gastarbeiter«, schrie Florian verzweifelt, »ist doch purer Wahnsinn!«

»Nun mal langsam, Junge«, fiel Hans Deutsch ihm ins Wort, »als puren Wahnsinn finde ich den Flughafen aus Pappe. Wieso der ganze Aufwand?«

»Und was für ein Aufwand«. bestätigte Mehmet Türk mit dumpfer Stimme. Es zuckte ihm nervös um die Lippen, und seine Brauen hatten sich emporgeschoben.

Hans Deutschs Augen aber funkelten wild: »Wir drehen am Originalschauplatz, kapiert? Wir fahren jetzt nach Riem und drehen am Ort.«

Florian Filmer vermochte nicht zu verhindern, daß seine Wangen und sein Hals feuerrot anliefen, während er den Abbau des Studioflughafens zu verhindern versuchte.

Inzwischen war auch die Hauptdarstellerin im Studio erschienen, die die junge Heldin meiner Geschichte spielen sollte. Ja, sie war zum Glück eine Deutsche, die ich gestern bei den Dreharbeiten zu einem anderen Film kurz miterlebt hatte.

»Entschuldigung«, rief sie lallend, »ich habe mich etwas verspätet.«

»Die ist doch wieder stockbesoffen«, fluchte Klaus Kammer und spuckte seinen Kaugummi auf den Boden.

»A geh«, lachte Lili schallend auf, »ich mußte nur ein paar Tropfen Whisky zu mir nehmen, weil ich vor jedem Drehtag so aufgeregt bin. Schließlich bin ich ja eine Künstlerin.«

Lili Lehmann, eine blonde Schönheit... Vollbusig und vollschlank. Ein stark geschminktes Gesicht mit leicht nach oben gezogenen Augenbrauen. Über ihren Schultern wallten weiche, goldblond leuchtende Locken. Zwischen ihren kirschroten Lippen hing eine schlanke Zigarette, an der sie hastig und ungeduldig zog, während sie durch ihre langen, künstlichen Wimpern hindurchblinzelte.

»Ihr bringt mich auf die Palme«, heulte Florian Filmer, »das darf doch nicht wahr sein. Das junge, zarte, romantische Mädchen Helga soll mir die Lili spielen? Das darf doch nicht euer Ernst sein.«

»Wieso nicht?« brach Mehmet Türks Stimme hart und fast drohend in Florians Filmers Worte ein, »sie wird doch dementsprechend geschminkt. In den Händen der Maskenbildnerin wird sie sich im Nu in das träumerische Mädchen verwandeln, das sich in einen türkischen Rocker verliebt.«

»Aber es ist doch nicht nur das Aussehen«, stöhnte Florian Filmer, »mit dem träumerischen Mädchen soll sie sich auch identifizieren können. Die Lili Lehmann ist für andere Rollen, sie kann meinetwegen tausend Pornofilme drehen, aber nicht die kleine verzweifelte Helga spielen, die hoffnungslos klagt: Warum mußten wir immer so leben, als ob es Krieg gebe...«

»Gut, daß Sie das erwähnen«, unterbrach ihn Hans Deutsch, »der Ausdruck ›Krieg‹ gefällt uns überhaupt nicht, der paßt doch gar nicht in eine Liebesgeschichte.«

»Das ist aber nicht nur eine Liebesgeschichte«, versuchte ich zu protestieren, »das ist zugleich ein anspruchsvoller sozialkritischer Film.«

»Den wir finanzieren«, fiel mir Mehmet Türk in die Rede, »und deshalb müßt ihr euch wenigstens etwas nach unseren Vorstellungen und Wünschen richten.«

Inzwischen waren Helmut Hallenberger und Lili Lehmann zur Maskenbildnerin geschickt worden. Während der Flughafen im Studio abgerissen wurde, sah Florian Filmer die Produzenten zuerst mit großen, verwunderten Augen an, dann vergrub er das Gesicht in den Händen. Er war dem Weinen nahe. Ich aber hatte nicht einmal die Kraft, mich zu ärgern, weil mir das Ganze wieder so unwirklich vorkam, wie an dem Tag, als beide Produzenten mich im Englischen Garten angesprochen hatten.

Die Begeisterung, die ich gestern zu empfinden begonnen hatte, war fast dahin. Ich betrachtete das Ganze als ein Spiel und machte nur noch mit, weil ich auf das Ende gespannt war. Das einzige Gefühl, das ich stark empfand, war mein Mitleid mit Florian Filmer.

Helmut und Lili überraschten mich positiv, als sie – er als Gastarbeiter mit dunklen Haaren und Augen, sie als das romantische junge Mädchen Helga – plötzlich vor uns standen. Zwei Szenen wollten wir am Flughafen drehen: die Ankunft Alis in Deutschland (als Rückblende) und den Tod seines Sohnes am Flughafen (als Schlußszene). Für die Schlußszene mit Helga mußte Helmut jedoch noch einmal in den Händen der Maskenbildnerin geknetet werden, um den jugendlichen Helden Murat, Alis Sohn, spielen zu können.

Der Produktionswagen fuhr uns nach Riem. Während der Fahrt versuchte Florian Filmer, Helmut und Lili in ihre neuen Rollen einzuführen.

»Unsicher und schüchtern«, beschrieb er Helmut Alis Gesichtsausdruck, »du sollst dich einfach in diesen Menschen hineinversetzen, der alles verlassen hat, sein Zuhause, seine Braut, und der in diesem Land angekommen ist, um sein Brot zu verdienen.«

Wir näherten uns dem Flughafen und hörten die Maschinen über unseren Köpfen starten und landen. Wir eilten in das Flughafengebäude, und eine Brandung aus zahllosen Stimmen drang uns entgegen. Immer wieder wurde das Stimmengewirr von Durchsagen zerhackt: Alitalia nach Rom... Pan American passengers to New York... Last call for British Airways...

Helmut trug eine Schirmmütze wie ein anatolischer Bauer. Er schleppte einen alten, häßlichen Koffer und mehrere Plastiktüten mit sich herum.

»Du sprichst kein Wort Deutsch«, redete Florian Filmer auf ihn ein, »und wenn, dann nur ein paar Brocken, kapiert, Junge?«

»Mach dir keine Sorgen, Flori-Boy«, lächelte Helmut, »ich bin doch nicht von gestern.«

Im Gegensatz zu Helmut war Lili so aufgeregt, daß sie sich immer wieder mit einem Flachmann in ihrer Handtasche zu beruhigen versuchte. Hastig zog sie an ihrer Zigarette und schaute sich ängstlich um.

Endlich war es so weit: Alis Ankunft am Flughafen.

Unsere Scheinwerfer, die die künstliche Beleuchtung noch künstlicher und greller erscheinen ließen, leuchteten wie riesige Augen. Klaus Kammers Assistent klappte seine Tafel: »Liebe neue Heimat, Rückblende, die erste!« Florian Filmer und ich blickten uns verblüfft an.

»Was erlauben sich bloß die Kerle, meinem Film einen Titel zu geben, der nicht von mir stammt?« zischte Florian durch die Zähne. Eine glühende Röte war ihm ins Gesicht gestiegen.

»Den Titel können wir ja immer noch ändern«, flüsterte ich, »konzentrieren wir uns lieber auf Helmut.«

Tatsächlich wirkte Helmut unsicher und schüchtern, als er zur Paßkontrolle schritt. Klaus Kammer filmte mit clownhaften Bewegungen. Sein Filmen wirkte gekünstelt und unecht, und Florian Filmer raufte sich die Haare.

»Du sollst Alis Gesicht aufnehmen, höher mit der Kamera«, schrie er.

Die richtigen Passagiere, die aus der gerade gelandeten Maschine aus Ankara ausgestiegen waren, begannen sich um uns zu versammeln. Sie waren so neugierig, daß sie vergaßen, ihr Gepäck vom Laufband abzuholen.

»Was ist denn hier los?« fragten sie, und Mehmet Türk antwortete stolz: »Wir drehen einen Film.«

Die Szene mußte tatsächlich so echt gewirkt haben, daß der Beamte bei der Paßkontrolle prompt reingefallen war, als der schüchterne und unsichere Helmut-Ali vor seinem Schalter stand, sich den Schweiß von der Stirn abwischte und den alten, häßlichen Koffer und die Plastiktüten vor sich hinstellte.

»He du«, schrie der Beamte Helmut-Ali an, »Papiere vorzeigen, gell? Aber bißchen plötzlich!«

Der Beamte beugte sich über seinen Computer und machte ein Gesicht, das verriet, wie verdächtig ihm Helmut-Ali war. Dieser hingegen brachte nur mühsam den Satz heraus: »Ich nix verstehn Deutsch.«

»Du nix dürfen hier arbeiten«, brüllte ihn der Beamte an.

Florian Filmer atmete erleichtert auf und legte den Arm auf meine Schultern: »Ach, das wirkt so schön echt. Die Produzenten hatten doch recht, als sie darauf bestanden, am Originalschauplatz zu drehen.«

Die Produzenten hingegen schienen mit der ganzen Szene nicht zufrieden zu sein. Immer mehr verfinsterten sich ihre Gesichter. Unzufrieden saßen sie mit aufgestützten Ellbogen auf ihren Stühlen.

»Stop«, schrie Hans Deutsch plötzlich erregt, und Klaus Kammer stellte sein Filmen auf der Stelle ein.

»Wir drehen einen Film«, erklärte dann Hans Deutsch dem Beamten, »und Sie wirken mit, mein Herr. Es handelt sich um die Szene, wo ein türkischer Gastarbeiter in Deutschland ankommt.«

»Ach so«, sagte der Beamte und kratzte sich am Ohr, »na dann, wenn es so ist. Bin ich tatsächlich im Bild?«

»Aber selbstverständlich«, versicherte Mehmet Türk mit der Zigarre im Mundwinkel.

»Warum sagen Sie das erst jetzt?« fragte der junge Beamte mit einem Lächeln, während er mit den Fingern den Kragen seiner gelbgrünen Uniform zurechtschob und sich durch die Haare fuhr, um die Frisur in Ordnung zu bringen. Die Maskenbildnerin aber war schneller als er, und mit geübten Bewegungen puderte sie das schmale Gesicht und die kleine Nase. Nun lächelte der Beamte vergnügt am Fenster seiner Kabine und richtete sich auf seinem Stuhl wie auf einem Thron auf.

Die richtigen Passagiere hingegen waren inzwischen ungeduldig geworden. »Wo bleibt denn die deutsche Pünktlichkeit?« protestierte eine Gastarbeiterin mit pechschwarzen Locken, »warum geht hier heute alles so langsam?«

»Alles mit der Ruhe«, rief ihr der Beamte von seinem Thron zu, »zuerst ist der Ali dran.«

Helmut-Ali schritt von neuem zur Paßkontrolle, während Klaus Kammers Kamera wieder summte.

»Wie heißen Sie, mein Herr?« fragte der Beamte den Gastarbeiter und starrte mit liebevollen Blicken auf ihn.

»Ich heißen Ali und hier arbeiten wollen.«

»Selbstverständlich dürfen Sie hier arbeiten, gnädiger Herr.«

Dabei streckte der Beamte seinen Kopf aus dem Fenster der Kabine und schaute ins Kameraobjektiv.

»Ich arbeiten wollen«, wiederholte der Helmut-Ali.

Nachdem der Beamte kurz überlegt hatte, fuhr er mit freundlicher Stimme fort: »Sie dürfen arbeiten, wo Sie wollen, mein Herr. BMW, MAN, Siemens... Wenn ich nur um Ihren Paß bitten dürfte?«

Ich war bei diesem Anblick wie versteinert. Ein Schauder überkam mich, und es verschlug mir die Sprache.

Florian Filmer standen die Haare zu Berge. Wie von einem inneren Sturm geschüttelt, zitterte er am ganzen Körper.

»Stop«, schrie er, »Kamera stop«, aber Klaus Kammer hörte nicht auf ihn und filmte eifrig weiter, bis der Stopp-Befehl von Hans Deutsch und Mehmet Türk kam. »Prima!« riefen diese und lobten die Szene mit dem Argument, sie sei glaubwürdig und realitätsnah.

»So ist es auch gewesen«, verkündete Mehmet Türk, »wir haben diese Leute in dieses Land geschickt...« Sein Partner Hans Deutsch unterbrach ihn höflich: »Und wir haben sie liebevoll aufgenommen. Sie haben es hier viel besser als in ihrer eigenen Heimat. Sie sind hier zu Geld gekommen, fahren schnelle Autos, können viel sparen. Im Land, wo Milch und Honig fließt, leben sie nun wie Gott in Frankreich. Jawohl, so ist es.«

»So ist es, Partner«, wiederholte Mehmet Türk, und die beiden Produzenten begannen, mit puppenhaften Gebärden am Flughafen zu tanzen. Auch Klaus Kammer schloß sich diesem Tanz an, während die Ungeduld der Passagiere ihren Höhepunkt erreichte.

»Laßt uns doch endlich raus«, schrie ein richtiger Gastarbeiter, dessen buschiger Schnurrbart nervös zitterte.

»Sie dürfen ja jetzt raus, meine Damen und Herren«, verkündete Mehmet Türk feierlich, »wir haben die Flughafenszene fertiggedreht.«

»Bis hierher war's ja wunderbar«, meinte Hans Deutsch.

»Aber das ist doch nicht mein Dialog«, versuchte ich zu protestieren, während die Passagiere endlich durch die Paßkontrolle strömten, und Helmut-Ali sich in der Kabine des Beamten erholen durfte. Die Maskenbildnerin wischte ihm den Schweiß von der Stirn, nahm ihm die Schirmmütze und die schwarze Perücke ab und holte ihm die Linsen aus den Augen, die nun wieder hellblau strahlten.

»Das war nicht mein Dialog«, schrie ich wieder.

»Wenn schon«, zuckte Mehmet Türk mit den Achseln, »ich sehe darin kein Problem, Frau Gülen. Kommen Sie, wir ändern Ihren Dialog auf der Stelle.« Freundlich faßte er mich bei den Händen und führte mich in einen kleinen Raum, trieb irgendwo eine Schreibmaschine auf und diktierte mir den neuen Dialog, den Rauch seine Zigarre in blauen Ringen zur Decke paffend: »Selbstverständlich dürfen Sie hier arbeiten...«

Mir brannten die Finger, während ich diese Sätze tippte. Ständig fragte ich mich, warum der Regisseur diesen gewaltsamen Eingriff nicht verhindert hatte, bis ich die Antwort fand. Der Arme mußte sich über all das, was sich heute im Studio und am Drehort ereignet hatte, so geärgert haben, daß er nicht mehr in der Lage war, etwas gegen die Eigenmächtigkeit der Produzenten zu unternehmen.

Nach der Rückblende am Flughafen waren wir so erschöpft und durcheinander, daß wir keine Kraft mehr hatten, weiter zu drehen. Lili war natürlich sehr enttäuscht, weil sie heute zu kurz gekommen war. Deshalb blickte sie während der Fahrt vom Flughafen zum Studio auch immer tiefer in ihren Flachmann, bis sie laut zu singen begann: Oans, zwoa, g'suffa... Doch irgendwann bekam sie einen Schluckauf, so daß sie das Singen einstellen mußte.

Florian Filmer schwieg, Klaus Kammer streichelte seine Kamera, ich rauchte. Die Produzenten waren am Flughafen geblieben, um Herrn Brettschneider, den Beamten bei der Paßkontrolle, der sich als ein erfolgreicher Statist erwiesen hatte, zu honorieren und eventuell für weitere kleine Rollen zu engagieren.

Während der Fahrt im Produktionswagen fragte Helmut Hallenberger den Regisseur ständig: »Ich war doch gut, nicht wahr? Ich war doch so schüchtern und unsicher, wie du es haben wollest, gell, Flori?«

»Ja«, seufzte Florian Filmer, »du warst schon gut, aber...«

5

»Aber«, sagte Mehmet Türk am Abend des ersten Drehtags am Telefon, »Sie dürfen doch nicht so schnell enttäuscht sein, gnädige Frau. Was machen schon die klitzekleinen Änderungen aus? Die werden Ihrem Film, unserem Film, bestimmt nicht schaden. Im Gegenteil, Sie werden ihm zugute kommen, glauben Sie mir.« Er räusperte sich feierlich. Wahrscheinlich hing ihm wieder eine Zigarre im Mundwinkel, und mir wurde schwindlig, als ob ich den Rauch einatmete.

»Ich weiß nicht«, murmelte ich, »das waren keine geringfügigen Änderungen. Sie ändern mir das ganze Konzept.« Ich horchte an der Muschel, gespannt und ängstlich wartete ich auf seine Antwort. »Nicht doch«, lachte Mehmet Türk, »nun machen Sie mal einen Punkt.«

Nach dem Tag am Flughafen, der für mich nichts als ein Reinfall gewesen war, hatte mich Mehmet Türk angerufen, um mir mitzuteilen, daß man den Komponisten engagiert hatte, der die Filmmusik zu meiner Geschichte geschrieben habe.

»Der berühmte türkische Musiker Ismail Ünlüses«, verriet Mehmet Türk mit seiner fröhlich zitternden Stimme, »wir treffen uns morgen Nachmittag bei Florian Filmer.«

Ich wollte den Produzenten die Mühe ersparen, mich abzuholen, und schlug vor, ein Taxi zu nehmen. Als Mehmet Türk das hörte, regte er sich sehr auf. »Nein, nein«, flehte er mich am Telefon beinahe an, »bitte kein Taxi.«

»Wieso?« staunte ich.

»Nun ja«, stammelte er, »vielleicht findet der Taxifahrer die Straße nicht so leicht, wissen Sie, und Sie kommen zu spät. Aber wir, mein Partner und ich legen auf Pünktlichkeit wert. Wir holen Sie ab.«

Und sie holten mich ab. Am nächsten Tag waren wir alle, auch der Musiker, Punkt 17 Uhr in Florian Filmers Haus.

Da es noch nicht ganz dunkel war, brannte in Florian Filmers Wohnzimmer kein Licht, dafür aber Kerzen in stilvollen Kerzenständern.

Ismail Ünlüses, der Komponist, war sehr aufgeregt. Mit gesenktem Blick saß er am Klavier und blätterte zitternd in seinen Notenblättern.

»Nur Mut, Junge«, sprach Florian zu ihm, »spiel und sing doch endlich dein Jahrhundertwerk.«

Wir alle starrten Ünlüses erwartungsvoll an. Langsam berührten seine Finger die Tasten des Klaviers, und die Musik setzte mit einer herzzerreißenden Melodie rabiat ein.

Es war nicht mehr so kalt, und die sonnigen Wintertage schienen vorüber zu sein. Das matschige Tauwetter hatte einen nassen Wind mit sich gebracht, der durch das ganze Haus pfiff und die unruhig flackernden Kerzen zu verlöschen drohte, während Ünlüses spielte und sang. Irgendwo im Haus klapperte unaufhörlich ein Fenster. Ünlüses' Musik war alles andere als die, die ich mir unter meiner Filmmusik vorgestellt hatte. Das mußte wohl auch Florian Filmer denken, der starr und düster schwieg. Unbeweglich saß er da wie eine Marmorstatue. Nur seine Hände auf dem Schoß bewegten sich unaufhörlich. Plötzlich begannen sie von den Gelenken herauf zu zittern, krümmten sich zusammen, öffneten sich wieder und krallten sich von neuem ineinander. Schmerzhaft war sein Gesicht gespannt.

Hans Deutsch hörte der Musik zu, verschränkte dabei die Hände über der Brust und neigte den Kopf zur Seite. Mehmet Türk hingegen sah vergnügt dem Rauch seiner Zigarre nach. Als die Töne immer rührseliger in die Höhe schossen, saß der Regisseur in sich geduckt da, das Kinn in die Hände gestützt, und all sein Schweigen schien nach einem erlösenden Schrei zu drängen. Eine westöstliche Mischung hatte Ünlüses zwar in seiner Musik, doch nicht die, die wir, Florian und ich, uns gewünscht hatten. Es war eher eine beliebige Collage aus deutschen und türkischen Schlagern, eine einfallslose Aneinanderreihung, ein Durcheinander aus der Wehmut des Orientalischen und der Gleichgültigkeit des Westlichen. Mitten in die Wehklagen einer hoffnungslosen Liebe brachte er ruckartig Einblenden wie »Aber bitte mit Sahne« und kehrte dann an einer unerwarteten Stelle zum Geschrei auf orientalische Art zurück.

Als er das erste Lied zu Ende gespielt und gesungen hatte, konnten sich die Produzenten vor Begeisterung nicht fassen. Stürmisch klatschten sie Beifall. »Genial«, lautete ihr Kommentar, »sensationell«. Aus den Augenwinkeln betrachtete ich Florian Filmer, der immer noch unbeweglich auf seinem Stuhl saß. Erst nach langem Zögern schien eine Bewegung aus ihm wachsen zu wollen. Er hob die Hand, die aber wie ein toter Vogel auf seinen Schoß fiel. Darauf schoß über seine blassen Wangen eine rote Flamme, und ich spürte, wie auch mein Gesicht eine glühende Welle überzog.

Ich warf Florian einen forschenden Blick zu, doch er starrte mich ausdruckslos an. Plötzlich begannen seine Lippen zu zittern, und ich wußte, daß er endlich etwas sagen würde.

»Das ist doch die Höhe«, schrie er auf, sprang von seinem Stuhl und begann wie verrückt auf und ab zu laufen. »Diesen Kitsch könnt ihr mir nicht als Musik andrehen«, heulte er, als ob er dem Ersticken nahe wäre. »Ich will diese Musik in meinem Film nicht. Nach der Maskerade gestern am Flughafen hat mir das gerade noch gefehlt. Ich steige aus, meine Herren. Ja, Ihr habt richtig gehört, ich steige aus.«

»Ich auch«, fuhr es aus mir heraus.

Ünlüses saß noch immer wortlos am Klavier und starrte in die Gesichter der Produzenten mit einem Glanz des Triumphs in den Augen.

An Mehmet Türks Schläfen bemerkte ich ein nervöses Zucken. Hans Deutsch aber schien sehr ruhig, während er behaglich seine Pfeife rauchte: »So einfach ist das nicht. Herr Regisseur und Frau Autorin, ihr habt einen Vertrag mit uns, den ihr zu vergessen scheint.«

»Ja schon«, stotterte Florian und blieb wie gelähmt stehen.

Die Zornesröte war von seinen Wangen gewichen. Wieder schimmerte seine Gesichtshaut wie durchsichtig.

»Beruhigen Sie sich, Herr Filmer«, warf Mehmet Türk ein, »wir haben Herrn Ünlüses engagiert, weil seine Musik uns überzeugen konnte. Erkennen Sie nicht die Genialität in dieser Musik, das Neue, das ganz Moderne...? Sie ist einfach hinreißend, diese Musik. Sie gefällt uns. Und dabei bleibt's.«

Während Mehmet Türk sprach, stand er mit dem Rücken zu uns am Fenster und sah hinaus in den Garten. Die Äste der vom Sturm geschüttelten Bäume wanden sich wie Riesenschlangen, Wolken liefen wie rasende Tiere über den Himmel. Das blaue Feuer im Kamin knisterte in gelben Flammen, und unruhig zitterte das Kerzenlicht. Die Flammen erleuchteten Ismail Ünlüses Gesicht. Immer noch saß er still am Klavier.

»Dabei bleibt's«, dröhnte diesmal Hans Deutsch, und eisiges Schweigen folgte seinen Worten.

»Der Vertrag, ja«, murmelte Florian Filmer nach eine Weile. Dann hüllte er sich wieder in Schweigen.

»Geben Sie nicht auf«, sprach Hans Deutsch.

Seine Blicke waren auf mich gerichtet.

»Hören wir uns auch die anderen Lieder von Herrn Ünlüses an.«
Und wie ich vermutete, waren auch die anderen Lieder nicht besser als das erste, doch Ismail Ünlüses blieb der Komponist unserer Filmmusik.

6

Am zweiten Drehtag konnte man Lili auf dem Weg zum Flughafen die ganze Zeit lachen hören. Ihre Heiterkeit gefiel aber Florian Filmer nicht, weil wir ja eine traurige Szene, die Schlußszene mit dem tragischen Ende, drehen wollten. Die Hauptdarstellerin behauptete aber, sie würde es schaffen, trotz ihrer Heiterkeit todunglücklich zu wirken.

»Spielen ist ja mein Metier«, flötete sie, während sie den Flachmann an die Lippen führte.

Als wir den Flughafen betraten, schlug uns wieder das Brausen zahlloser Stimmen entgegen, dazwischen die Informationen verschnupfter Lautsprecheransager: Austrian Airlines to Vienna...

Herr Brettschneider, der Beamte von gestern, kam uns mit ausgebreiteten Armen entgegen, als ob er das ganze Team umarmen wollte. »Ich habe meine Rolle sehr gut gelernt«, zwitscherte er mit einer kindlichen Freude, »heute bin ich länger im Bild, nicht wahr?« Einer der Abflugschalter war geschlossen, weil er für unsere Szene reserviert war. Da aber ein Schalter fehlte, herrschte großes Gedränge bei der Paßkontrolle vor dem Abflug.

Während die Lautsprecheransagen »Attention please, last call for passengers to...« auf uns niederprasselten, faßte mich Hans Deutsch am Arm: »Kommen Sie mit! Wir werden Ihren Text wieder leicht ändern müssen. Nur eine unbedeutende Änderung, versteht sich.«

Wieder gingen wir in den kleinen Raum, wo ich gestern schon Textänderungen vornehmen mußte. Die Schreibmaschine stand noch auf dem winzigen Tisch. Die Luft war dumpf und stickig.

»Das Ende ist uns zu tragisch«, begann Hans Deutsch, »wir wollen keinen Tod, auch keine gelungene Flucht der Liebenden.«

»Sondern?« fragte ich nervös und trommelte mit den Fingern auf die Tischplatte.

»Sie bleiben einfach hier, Murat und Helga. Sie machen vor der

Paßkontrolle kehrt, nehmen den ersten Flughafenbus zur Innenstadt und sind glücklich.«

»Aber die Kampfszene«, stotterte ich, »die anderen Jugendlichen und die Feindlichkeiten...« Ich hatte die Augen auf Hans Deutschs Gesicht geheftet. Er schien von meinem Protest keine Notiz zu nehmen, meine Einwände glitten an ihm ab.

»Ach, die Jugendlichen«, sagte er leichthin, »die werden wir natürlich nicht völlig ausschalten. Sie kommen auch zum Flughafen, das ändern wir nicht. Aber sie kommen nicht zum Kämpfen. Sie wollen das Liebespaar nur bis zum Abflugschalter begleiten und ihm einen guten Flug wünschen.«

»Einen guten Flug?« stammelte ich, nach Luft ringend. Das Blut pochte mir in den Schläfen, und ich schwitzte in diesem Raum, der mir wie eine Zelle erschien.

Hans Deutsch kratzte sich am Ohr, dann legte er los: »Ich hab's, Frau Gülen. Die anderen Jugendlichen überreden das Liebespaar hierzubleiben. Darauf Murat zu Helga: Eigentlich haben unsere Freunde schon recht, Schatz. Laß uns nicht abhauen. Und die Freunde freuen sich sehr, als Murat und Helga sich entschließen, hier zu bleiben. So fahren alle zusammen mit dem Flughafenbus zurück in die Innenstadt und singen unterwegs Lieder. Statt Ihres sentimentalen Liedtextes in der Schlußszene ›Warum mußten wir immer so leben, als ob es Krieg gäbe‹ singen sie im Bus deutsche Volkslieder, meinetwegen ›Wir Kameraden der Berge‹, nicht wahr?«

Hans Deutsch schnalzte vergnügt mit der Zunge, als ob er auf weitere Ideen dieser Art Appetit bekommen hätte. Ich wand mich, wie von einem Stromschlag getroffen.

»Das, was Sie mir vorschlagen, ist keine leichte Änderung«, schrie ich verzweifelt.

»Vorschlag?« staunte Hans Deutsch, »das ist ein Befehl, Gnädigste.«

»Und was wird Florian Filmer dazu sagen?«

»Er hat nichts zu sagen«, entgegnete Hans Deutsch mit kalter Stimme und befahl: »Schreiben Sie!«

»Moment mal«, versuchte ich noch ein letztes Mal zu protestieren, »das tragische Ende soll doch die Sinnlosigkeit des Hasses symbolhaft zum Ausdruck bringen.«

Hans Deutsch durchbohrte mich mit einem finsteren Blick.

»Wenn es keinen Haß gibt«, murmelte er dann, »braucht man auch nicht dessen Sinnlosigkeit zu zeigen.«

»Man kann aber nicht den Kopf wie ein Strauß in den Sand stecken«, hörte ich mich flüstern. Hans Deutsch lachte auf, als ich am Ende war. »Unsere Anschauungen gehen in mehreren Punkten auseinander, aber das macht nichts, Gnädigste. Wir sind die Produzenten, und es gilt unsere Meinung. Also, schreiben Sie...« Dabei nagelte mich sein Blick so fest, daß ich erschrak.

Beim Diktieren verschränkte er die Arme im Nacken. Während ich tippte, was er mir diktierte, kam ich mir wie eine Sekretärin, aber nicht mehr wie die Autorin vor. Als ich ihm das sagte, lachte er schallend auf. »Natürlich sind Sie die Autorin«, sagte er dann, »wer sitzt hier an der Schreibmaschine? Etwa ich?« Dieser Satz war mir wie in die Brust gestopft. Er lachte noch immer, als wir den engen Raum verließen und mit dem neuen Text zum Abflugschalter eilten, vor dem wir drehen wollten.

Helmut Hallenberger hatte sich auch mit dem jugendlichen Helden Murat – wie mit dessen Vater Ali – gut identifizieren können. Auch Lili wirkte in der Person der Helga recht überzeugend.

Ungeduldig wartete Herr Brettschneider auf dem Thron an seiner Kabine. Als wir, Hans Deutsch und ich, die Textänderungen vornahmen, hatte ein Minibus die deutschen und türkischen Jugendlichen, die bei der Kampfszene mitwirken sollten, zum Flughafen gebracht. Sie waren lauter Laiendarsteller, wirkten aber ganz echt.

Florian Filmer erklärte ihnen ihre Rollen.

»Dieter, du tötest Murat. Deine Blicke funkeln voller Haß, wenn du auf ihn losrennst. Stell dir vor, Junge, er brennt mit deiner Schwester durch.«

Dieter nickte, und als er endlich so weit war, die Szene zu probieren, berichtete Mehmet Türk ganz nebenbei von den »leichten« Änderungen im Drehbuch. Eigentlich war ich darauf gefaßt, daß Florian Filmer aus der Haut fahren und sich auf die Produzenten stürzen würde, doch ich wurde enttäuscht. Resigniert zuckte der Regisseur mit den Achseln. Er schien gegen die Eingriffe der Produzenten abgestumpft zu sein, doch ich konnte diese Gleichgültigkeit, die bei Florian Filmer sichtbar eingesetzt hatte, nicht begreifen.

»Also gut«, sagte der Regisseur zu Dieter, »du bringst den Murat nicht um, sondern du umarmst ihn brüderlich. Ihr seid ja nun so gut wie verschwägert.« Dann wendete sich Florian den anderen Jugendlichen zu: »Ihr seid alle da, um das Liebespaar bis zum Abflugschalter zu begleiten. Ihr sollt sehr freundlich wirken, alles klar?«

»Alles klar«, antworteten diese im Chor, während Dieter ein mürrisches Gesicht machte und vor sich hin brummte, daß die erste Version ihm besser gefallen hätte. Die neue Version gefiel aber den türkischen Jugendlichen, die Murats Freunde darstellten, besser. Ülker, ein baumlanger Junge mit hochgekämmten dunklen Haaren sagte, daß es so was nur im Film gäbe, während Jussuf, dessen kastanienbraune Haare wild in die Höhe standen, die Textänderung »super« fand.

Munter wie immer hüpfte Klaus Kammer beim Filmen durch die Gegend, nachdem sein Assistent die Klappe geräuschvoll zugeklappt hatte: Liebe neue Heimat, Schlußszene, die erste... Die Scheinwerfer blendeten meine Augen.

7

Wir hatten nur eine Rückblende und die Schlußszene gedreht, und es wartete noch viel Arbeit auf uns. Um von den Produzenten nicht ständig gestört zu werden, trafen wir, Florian Filmer und ich, uns manchmal heimlich, um die übrigen Szenen im stark geänderten Drehbuch irgendwie noch zu retten.

Da auch der Regisseur aus einem mir unerklärlichen Grund nicht wollte, daß ich ein Taxi nahm, um zu ihm zu fahren, holte er mich immer selbst ab. Dann verbrachten wir Stunden in seinem großen Wohnzimmer, Stunden, die für mich unbeschreiblich schön waren.

Wenn die Produzenten nicht dabei waren, flackerten Florians Blicke wieder wie Blitze, während er mit mir die einzelnen Szenen durchsprach. Ich war nahe dran, mich in ihn zu verlieben. Jedesmal versprachen wir uns hoch und heilig, uns von den beiden Produzenten nichts vorschreiben zu lassen, uns nicht kleinkriegen zu lassen und nie wieder nachzugeben. »Selbst wenn wir mit ihnen einen Vertrag geschlossen haben«, sagte Florian mit sanfter

Stimme, die aber einen ängstlichen Unterton bekam, wenn er vom Vertrag sprach.

Im Drehbuch gab es auch eine Szene in einer türkischen Kneipe, und Florian wollte sie in einer richtigen türkischen Kneipe drehen. Deshalb hatten wir die Stadt wochenlang nach türkischen Kneipen abgekämmt, bis wir uns für eine am Rosenheimer Platz entschieden. An einem Freitagmorgen (es war Ende Februar, inzwischen wieder sehr kalt, obwohl es nicht mehr schneite) trafen wir uns alle, auch die Produzenten, im Studio.

»Wir gehen in eine türkische Kneipe«, berichtete Florian Filmer den Produzenten leichthin, »die wir, Lale und ich, als Originalschauplatz ausgesucht haben.«

»Was höre ich da?« fragte Mehmet Türk und bog mit der Hand ein Ohr nach vorn, »habe ich etwa richtig gehört, daß hier ohne uns gearbeitet wurde?«

»Nein, nein«, stöhnte Hans Deutsch, »das wäre gegen die Vorschriften unseres Vertrags.« Beide Produzenten standen breitbeinig da, die Ellenbogen nach außen, und funkelten mit zornigen Augen. Die Angst, die das Wort »Vertrag« bei Florian auslöste, schien ansteckend zu sein. Auch ich spürte meinen Hals rauh und trocken, als ich uns zu verteidigen versuchte: »Wir haben nicht richtig gearbeitet. Wir haben uns bloß ein bißchen umgeschaut und fanden schließlich die Kneipe am Rosenheimer Platz sehr geeignet für die Kneipenszene. Nicht wahr, Florian, so war's doch?«

Florian Filmers Gesicht ähnelte wieder einem Marmorbild, während er reglos auf den Boden starrte. Es schien auch dann kein Leben zu bekommen, als Hans Deutsch immer gereizter zu schreien anfing: »Wir gehen in keine Kneipe. Wir bauen uns die Kneipe im Studio auf.« Er preßte die Handflächen gegeneinander und neigte sich zu Mehmet Türk, der wie ein Papagei wiederholte: »Jawohl, im Studio.« Dann steckte er sich eine Zigarre an, und Klaus Kammer gab ihm Feuer.

Über dieses Verhalten der Produzenten regte ich mich dermaßen auf, daß ich wütend losschrie: »Sie waren doch diejenigen, die für Originalschauplätze plädierten, als wir im Studio einen kompletten Flughafen hatten. Sie wollten doch nach Riem, nicht wir. Und jetzt wollen wir zum Rosenheimer Platz, verstanden?«

Ich spürte mein Herz im Brustkorb wie einen Vogel flattern. Vor Zorn färbten sich meine Wangen hochrot. »Aber nicht doch, Gnädigste, regen Sie sich ab«, befahl mir Mehmet Türk und blies den Rauch seiner Zigarre von sich, der in der Luft kleine graublaue Wolken bildete und schrecklich stank. Statt meine Partei zu ergreifen, versuchte auch Florian Filmer mich zu beruhigen. Seine Stimme war rauh, ganz fremd, sein Blick ausweichend. »Ist doch vielleicht besser so«, murmelte er verlegen, »wir bauen uns die Kneipe im Studio auf.«

»Wieso soll es besser sein, verdammt noch mal«, schrie ich drauflos und wunderte mich selbst, daß mich dieser kleine Zwischenfall so aufregen konnte, nachdem ich am Flughafen meine Dialoge wie ein Roboter mit den von den Produzenten diktierten Sätzen in aller Ruhe geändert und mich mit der Musik von Ünlüses einverstanden erklärt hatte.

»Requisiten«, hörte ich bereits Florian Filmer rufen, »Requisiten für die türkische Kneipe!«

Wie im Traum nahm ich die Bühnenbildner wahr, die die Requisiten, ein paar schäbige Tische mit großkarierten Tischdecken und Stühle mit Rückenlehnen aus Kunststoff, mit sich schleppten. Im Nu war die türkische Kneipe im Studio aufgestellt. Es war ein düsterer, verqualmter Raum, verstaubt und fettig, mit Gläsergeklirr und dem Getöse ausgelassener Tischgesellschaften. In Null Komma Nichts hatte man einen südländisch aussehenden Typen aufgetrieben, der als Koch und Wirt zugleich am Drehspieß grinste. Durch das halboffene Hemd sprossen buschige Brusthaare, im Mund schimmerten Goldzähne. Aus dem Hintergrund wurde eines der Lieder des Ismail Ünlüses gespielt, und die Statisten wiegten vergnügt die Köpfe im Takt.

Helmut Hallenberger spielte wieder Ali, Murats Vater. Die erste Generation in einer Rückblende.

Klaus Kammers Assistent klappte seine Klappe lautstark zu:

Liebe neue Heimat, zweite Rückblende, die erste...

»Ich habe einfach Heimweh«, seufzte Helmut-Ali, der sich mit türkischem Anisschnaps betrank.

»Gut so«, rief ihm Florian Filmer zu, »aber noch ein bißchen mehr Gefühl, Junge.«

»Ich habe einfach Heimweh«, wiederholte Helmut-Ali mit knolliger Zunge und glasigen Augen.

Auch Florian Filmers Augen waren glasig. Vergeblich suchte ich nach den blitzenden Augen, die mir immer etwas Angst eingeflößt, mich aber auch mit Bewunderung erfüllt hatten. Waren nicht auch seine Gebärden marionettenhaft geworden, wie die von Klaus Kammer, der, vergnügt wie eh und je, seine Kamera summen ließ, sich dabei duckte und plötzlich aufsprang und sich wie ein Akrobat aufführte, um alle Bilder richtig festzuhalten? Nein, nein, ich irrte mich, ich mußte mich irren, Florian Filmers Augen waren nicht glasig, sondern nur traurig.

Während ich Florian Filmer so von der Seite ansah, hörte ich die beiden Produzenten im Chor »Stop« rufen. Mehmet Türk schritt auf mich zu: »Eine winzige Textänderung, gnädige Frau.«

»Schon wieder?« zitterte ich, »aber es lief doch alles ganz gut.«

Nach einer halben Stunde konnte die Drehbarbeit fortgesetzt werden, diesmal sagte Helmut-Ali: »Ich habe nur ein bißchen Heimweh, und die neue Heimat liebe ich so...«

Nachdem der Kneipentraum vom Rosenheimer Platz am Widerstand der Produzenten zerschellt und die Szene im Studio abgedreht war, sagte Florian zu mir: »Auch so ist die Szene ganz gut geworden, nicht wahr? Helmut war okay. Und die Musik von Ünlüses paßte doch sehr gut, nicht wahr?« Aber während er so sprach, schien ihn ein Schmerz im Tiefsten zu durchdringen.

»Ich weiß nicht«, murmelte ich verärgert, obwohl auch ich die Szene – abgesehen von dem veränderten Text – nicht schlecht fand.

8

Auch im März drehten wir weiter. Hans Deutsch und Mehmet Türk schafften es, daß ich mich nicht mehr mit dem Regisseur traf, wenn sie nicht da waren. Allerdings mußte ich nicht mehr viel am Drehbuch ändern, und die meisten Szenen, die wir abdrehten, gefielen mir einigermaßen, so daß ich kaum noch Grund hatte, mich zu beklagen.

Es war ein verrückter März mit viel Regen, und es war mir, als rauschte er durch die Poren in mich hinein und wasche mir alle Gedanken weg. Während der Regen um uns trommelte, drehten wir weiter an Originalschauplätzen oder im Studio, bis es Sommer wurde und über die Wiesen und Wälder um die Stadt die Hitze flimmerte. Die Dreharbeiten gingen dennoch weiter, und schon bald spürte ich den Herbst nahen. Die Luft war weich und mild, und doch war manchmal schon ein erster Anflug von herbstlicher Kühle spürbar. So beobachtete ich den Abschied des Sommers und erlebte mit, wie uns die Bäume immer kahler umstanden. Pünktlich mit dem Beginn der Weihnachtshektik, als die Schaufenster der Läden farbenfroh schillerten, war dann der Film zu Ende gedreht.

Ja, endlich war es so weit, und die Produzenten – aber auch der Regisseur – meinten, daß wir gute Arbeit geleistet hätten. Mittlerweile war sogar ich dieser Meinung, während ich gespannt auf die erste Vorführung des Films im Studio nach den Weihnachtsfeiertagen wartete.

In dieser Zeit versuchte ich vergeblich, Florian Filmer telefonisch zu erreichen, weil ich ihm ein frohes Fest wünschen wollte. Jedesmal wenn ich seine Nummer wählte, folgte einem Pfeifton eine metallische Roboterstimme, die mir »Kein Anschluß unter dieser Nummer« meldete.

Zwar kam mir das sehr merkwürdig vor, doch war ich so gespannt auf den Film, auf meinen, auf unseren Film, daß ich mir keine weiteren Gedanken darüber machte, Florian Filmer unter der Nummer, unter der ich ihn bisher immer erreicht hatte, nicht mehr anrufen zu können. Wir würden uns ja sowieso bald im Studio treffen. Vor der Studioaufführung aber bekam ich eines Abends einen merkwürdigen Anruf. Einen Anruf von der Cutterin, die ich nicht einmal persönlich kennengelernt hatte. Ich wußte nicht einmal, wie sie hieß. Doch, ich erinnerte mich dunkel, daß Florian von einer Gundi gesprochen hatte, die sehr fleißig und zuverlässig sei.

»Kunigunde Scherer«, stellte sie sich am Telefon vor. »Es tut mir leid, gnädige Frau, Ihnen mitteilen zu müssen, daß ich so viel weg- und umschneiden mußte. Aber ich hatte meine Anweisungen. Erzählen Sie bitte niemandem von meinem Anruf, ich flehe Sie an. Daß ich nur meine Pflicht getan habe, müssen Sie wissen.«

9

Ich muß wissen? Was muß ich wissen? Ich muß bloß die Bilder vor meinen Augen wahrnehmen, während der Film zum ersten

Mal vorgeführt wird, eine Privatvorführung für uns, das Team, in einem der Säle des Filmgeländes.

Als die Lichter ausgingen, erreichte meine Aufregung den Höhepunkt. Ich schwitzte in den Händen, und mein Herz schlug voller Angst und Unruhe. Haare klebten mir an der Stirn, und etwas schnürte mir die Kehle zu. Die Spannung zog mir das Herz zusammen, während ich auf die Leinwand starrte.

Da der Film auf internationale Festspiele geschickt werden sollte, war der Vorspanntext auf englisch:

Film Company Grün presents...

Aus dem Hintergrund schossen rührselige Jammertöne des Ismail Ünlüses in die Höhe, und ich wurde vom Grauen geschüttelt. Ich wußte nicht, was Florian Filmer, der sich weiter in Schweigen hüllte, dabei empfand. Verzweifelt versuchte ich, mich auf die Leinwand zu konzentrieren.

Starring: Helmut Hallenberger
Lili Lehmann...

Co-starring: Dieter Dorner
Ülker Ütücü
Jussuf Özer
Alois Brettschneider...

Songs and lyrics by Ismail Ünlüses...

Written by Lale Gülen and Florian Filmer...

Camera by Klaus Kammer...

Directed by Florian Filmer...

Produced by Hans Deutsch and Mehmet Türk...

Aus dem Hintergrund dröhnte weiter die deutsch-türkische Schlager-Collage (ach, ach, askin beni, askin beni, Sternenhimmel, Sternenhimmel, askin beni mahvetti, hast du etwas Zeit für mich, sabret gönül bir gün olur bu hasret biter, aber so bitter, so bitter, bitte mit Sahne...), während die ersten Bilder auf der Leinwand auftauchten. Die Bildfolgen waren ohne Zusammenhang aneinander gereiht. Zwar erkannte ich die Szenen, die wir gedreht hatten, wieder, doch die Reihenfolge war völlig durcheinander. Obwohl Alis Ankunft eine Rückblende sein sollte, begann der Film abrupt mit der Flughafenszene, in der eigentlich weniger das Gesicht von Ali als das von Herrn Brettschneider zu sehen war, das vergnügt strahlte: Bitte schön, mein Herr, natürlich dürfen Sie arbeiten, wo Sie wollen, mein Herr, Siemens, MAN, BMW?

Er lächelte Ali freundlich an und streckte dabei den Kopf der Kamera entgegen, so daß sich sein Gesicht unnatürlich vergrößerte. Nur kurz zeigte zwischendurch die Kamera Ali mit seinem schüchternen und unsicheren Lächeln, während die Passagiere hinter ihm eigentlich mehr zur Geltung kamen.

»Wo bleibt denn die deutsche Pünktlichkeit?« schrie die Gastarbeiterin mit den pechschwarzen Locken, »warum dauert es hier heute so lange?« »Entschuldigung«, antwortete ihr Ali, »wir drehen einen Film.« »Ach so«, lachte sie erleichtert auf und begann wie Herr Brettschneider, den Kopf zur Kamera hin zu strecken, bis das ganze Bild von schwarzen Locken verdeckt wurde.

Während ich fassungslos die zusammenhanglosen Bilder anstarrte, glühten meine Nerven wie Drähte. Gänsehaut überzog mich von oben bis unten.

Mit einem weiteren Lied von Ünlüses wurde sprunghaft eine andere Szene eingeblendet. Murat umarmt seine Mutter und sagt: Wie schön, daß du mich hier geboren hast. Hier ist meine richtige Heimat, nicht wahr? Ich habe eine gute Ausbildung genossen, und die Firmen rennen mir nach, um mir Lehrstellen anzubieten...

Dann zeigte die Kamera plötzlich Lili, nur kurz ihr Gesicht, minutenlang dagegen ihren vollen Busen, der sich unter der engen Bluse wölbte. Dann sah man sie von hinten, wie sie zum Abflugschalter hüpfte. Als sie sich plötzlich umdrehte, steckte sie in einer Faschingsverkleidung: Ohrringe baumelten unter ihren Medusahaaren hervor, sie trug ein geschmackloses Fähnchen von Kleid, unter dem abgetragene Ballettschuhe hervorschauten.

Das darf doch nicht wahr sein, dachte ich, das ist nicht mein Film, während ich wie ein Erstickender die Hand gegen meine Brust preßte. Tränen schossen mir in die Augen, und doch konnte ich den Blick nicht von der Leinwand lösen, auf der jetzt die Jugendlichen in den Flughafenbus strömten. Als der Bus in Richtung Innenstadt zu fahren begann, sangen sie im Chor: Es tanzt ein Bibabutzemann in unserm Haus herum, bidebum...

In mir preßte sich alles zu einem verzweifelten Aufschrei zusammen. Zwar hatte ich von Anfang an geahnt, daß etwas bei der ganzen Sache nicht stimmte, doch zu spät erkannte ich mit allen Konsequenzen, was man mit mir getrieben hatte. Was ich jetzt empfand, war mehr als Enttäuschung, viel mehr. Warum, fragte ich mich, warum hatte man mich dafür ausgesucht?

Mit beiden Händen verdeckte ich mein Gesicht, um die verrückten Bilder nicht mehr sehen zu müssen. Die Musik aber konnte ich nicht ausschalten: Han sarhos, hanci sarhos, holladrio, Eminem, oj, oj, ich mach bubu...

Nein, das war nicht mein Film.

Kunigunde Scherer hatte im Auftrag der Produzenten und womöglich auch des Regisseurs um- und weggeschnitten, ihr Anruf aber war keine Auftragsarbeit gewesen. Ihr Gewissen hatte sie gezwungen, mich wenigstens andeutungsweise darüber zu informieren, was mich hier erwartete. Hatte sie nicht »Sie müssen wissen« gesagt? Sicherlich gab es noch vieles, was ich wissen mußte, aber nicht wissen durfte.

Die Neugier besiegte meine Empörung, so daß ich die Finger einen Spaltbreit öffnete, um festzustellen, was noch auf der Leinwand passierte. Eigentlich hatte ich gedacht, daß die Szene im Flughafenbus der Schluß sei, doch der Film lief weiter, weil die Bilder ja ohne Zusammenhang aneinander gereiht waren. Es war nun die türkische Kneipe auf der Leinwand zu sehen. Ali sprach mit dem Wirt, auf dessen Goldzähne die Kamera gerichtet war; von Ali hörte man nur die Stimme: »Kannst du mir den Drehspieß leihen? Ich gebe eine Party für meine deutschen Freunde und Nachbarn, die ich königlich bewirten möchte, weil sie immer so gastfreundlich waren. Sie haben mich niemals alleine gelassen. Ich habe mich in diesem Land nie alleine gefühlt...

Bevor der Wirt Ali eine Antwort geben konnte, wechselte die Szene bereits wieder. Teils bewegten sich die Bilder im Zeitlupentempo, teils liefen sie so schnell, daß man sie kaum erkennen konnte, darunter auch viele, die ich überhaupt nicht kannte. Das Team mußte also auch in meiner Abwesenheit gedreht haben.

Die Wut, die ich zuerst in der Magengegend spürte, begann in den Hals zu wandern. Das Starren auf die Leinwand wurde zu einer fürchterlichen Qual.

Zwar erinnerte ich mich an den seltsamen Tanz der Produzenten am Flughafen, wußte aber nicht, daß Klaus Kammer auch diese Szene, die nicht im Drehbuch stand, mitgefilmt hatte, bevor er selbst mittanzte. Mit schnellen Drehbewegungen hüpften die Produzenten mit Zipfelmützen auf dem Kopf nach dem Gesang der Jugendlichen: Es tanzt ein Bibabutzemann... Und an der Stelle »er rüttelt sich, er schüttelt sich, er wirft sein Säcklein hinter sich« rüttelten und schüttelten sie sich und warfen die Säcklein (wo hatten sie die wohl aufgetrieben?) auf den Rücken.

Schließlich erschien wieder der Flughafenbus auf der Leinwand. Die Kamera zeigte den Bus von innen. Die Jugendlichen, die brav auf ihren Plätzen saßen, streckten dem Objektiv die Zungen heraus und riefen im Chor: »Bidebum!«

Das war's. Dann stand auf der Leinwand mit riesigen vergoldeten Buchstaben: The End. Als der Vorhang fiel, erwachte ich wie aus einem Alptraum. Ich wurde von Übelkeit geschüttelt, und dann explodierte die Wut in mir.

»Lichter an«, schrie ich.

Langsam gingen die Lichter an, und ich starrte auf die anderen, die Produzenten, den Regisseur, den Kameramann, die Schauspieler, die einander mit fröhlichen Gesichtern gratulierten.

»Sensationell«, schrien sie durcheinander, »ein meisterhaftes Kunstwerk des Neurealismus.« Und mit vor Freude zitternder Stimme beteuerte Mehmet Türk, daß der Film mit vielen Preisen ausgezeichnet werden würde.

Vergeblich suchte ich einen Verbündeten in Florian Filmer, dessen Gesicht unbeweglich blieb. Schaudernd erkannte ich, daß seine Augen tatsächlich glasig geworden waren und leblos schimmerten wie die der Goldfische, die ich am ersten Tag auf dem Marmorboden des stillgelegten Springbrunnens in seinem Haus gesehen hatte.

»Das ist nicht mein Film«, schrie ich. Es lief mir noch immer eiskalt über den Rücken.

»Natürlich ist das Ihr Film«, entgegnete Hans Deutsch, »seien Sie doch stolz darauf. Er wird ab Mitte Januar in den Kinos gezeigt werden. Vorher aber geht er zu den Europarade-Festspielen.«

»Nein, nein«, schluchzte ich, als ich wie ein Schlafwandler den Vorführungssaal verließ. Vor der Tür begegnete ich der Cutterin, die während der Vorführung im Saal gewesen war, aber die ganze Zeit, auch nach der Vorführung, keinen Ton von sich gegeben hatte.

Mit einem Blick, der mich geradezu anflehte, flüsterte sie leise: »Entschuldigen Sie mich, bitte, bitte. Ich habe Ihnen bereits am Telefon gesagt, daß ich meine Anweisungen hatte.«

Sie tat, als ob das Ganze ihre Schuld wäre. War das wieder so ein abgekartertes Spiel, daß sie hier auf mich wartete? Wollte das ganze Team, von den Produzenten bis zu den Schauspielern, die ganze Schuld der armen Cutterin in die Schuhe schieben und ihre Hände in Unschuld waschen?

»Schon gut«, antwortete ich. »Sie können ja nichts dafür, wenn Sie Ihre Anweisungen hatten. Auch ich konnte nichts dafür, als ich meine eigenen Texte Zeile für Zeile ändern mußte.«

Als die Produzenten merkten, daß ich gehen wollte, rannten sie mir eilig nach.

»Warten Sie doch«, rief Mehmet Türk, »wir fahren alle mit dem Produktionswagen in die Stadt zurück.«

»Gehen Sie nicht allein«, sprach Hans Deutsch hastig, »Sie könnten sich verlaufen.«

Ich hörte nicht auf die beiden und eilte schnurstracks zum Hauptausgang, an dem der Pförtner in seiner Kabine saß und zufrieden in einer Zeitschrift las. Verwundert sah er mich an. Er schob die Fensterscheibe zur Seite und streckte seinen Kopf heraus. »Warten Sie lieber auf die anderen«, sprach er fast väterlich. »Nein«, schrie ich wütend, »lassen Sie sofort die Schranke rauf, nun machen Sie schon!«

Als ich draußen war, klirrten mir die Zähne. Ängstlich schaute ich mich um. Ich muß irgendwo in Grünwald sein, dachte ich, und finde bestimmt gleich die Endhaltestelle der Linie 25. Ich fand sie aber nicht. Stundenlang irrte ich stattdessen in dem eleganten Villenviertel herum. Der Regen floß mir durch die Haare und durchweichte mich. Erschöpft setzte ich meinen Weg fort, zusammengekrümmt vor Kälte und Nässe.

Als ein Blitz, wie mit Phosphor bestrichen, die Mauern der Villen kalkweiß blendete, begann ich zu rennen. Ich mußte das Rot der Ampel übersehen haben und fuhr heftig zusammen, als ein Auto im letzten Augenblick vor mir bremste.

»Sind Sie lebensmüde?« hörte ich den Fahrer aus undenklichen Fernen schreien. Als er aber meine Lage erkannte, wurde er plötzlich sehr freundlich.

»Steigen Sie ein«, sagte er milde, »ich fahre Sie in die Stadt.«

Als ich im Auto saß und mir mit einem Taschentuch die Haare zu trocknen versuchte, erinnerte ich mich an den Tag, an dem ich den beiden Produzenten zum ersten Mal begegnet war.

»Wir drehen einen Film«, hatten sie gesagt. Es wäre richtiger gewesen, dachte ich, wenn sie gesagt hätten: Wir drehen ein Ding.

Ich merkte, daß ich laut gedacht haben mußte, denn der Fahrer fragte mich höflich, ob ich etwas gesagt hätte.

»Ach, nichts«, versuchte ich zu lächeln.

Trotz der hektisch-rhythmischen Bewegungen der Scheibenwischer klebte ein Regenschleier am Vorderfenster. Doch irgendwann zerriß der Wind den Regenvorhang. Erleichtert atmete ich auf. Ich war zurückgekehrt in die Betriebsamkeit der Stadt.

10

Nach der Vorführung im Studio vergingen einige Tage, in denen ich mir fast eingeredet hätte, daß alles nur ein Streich meiner Einbildungskraft gewesen war, als ich einen Brief bekam, der mich wieder völlig durcheinander brachte.

Das Filmkomitee der Europarade-Festspiele freute sich, mir mitteilen zu dürfen, daß der Film mit dem ersten Preis ausgezeichnet worden war. Dem Schreiben war ein Scheck in Höhe von 20.000 DM beigefügt.

Ich selbst freute mich nicht. Ich fühlte mich nicht geehrt, daß ich als die Co-Autorin eines so lächerlichen Films gepriesen wurde, der alles andere als ein Film war. Vielmehr schämte ich mich zu Grund und Boden.

Vielleicht sind der Brief und der Scheck auch ein Spiel meiner Phantasie, sagte ich mir, obwohl ich sie in der Hand hielt und das Papier fühlen konnte. Dann zerknüllte ich den Brief samt Scheck in ohnmächtigem Zorn und warf alles auf den Boden.

Europarade, lachte ich höhnisch, eine Maskerade ist das!

In diesem Augenblick hatte ich mich entschlossen, Florian Filmer aufzusuchen, von dem ich eine Erklärung wollte. Eine Erklärung für sein verändertes Verhalten, das ich nie begriffen hatte, eine Erklärung für das veränderte Drehbuch, eine Erklärung für die merkwürdigen Bilder, die man als anspruchsvollen, sozialkritischen Film vermarktete, einfach eine Erklärung für alles.

Ein Taxifahrer fuhr mich minutenlang in Bogenhausen herum, bis er es schließlich aufgab, Florians Filmers Haus zu finden.

»Wenn Sie mir keine genaue Adresse geben können«, brummte

er vor sich hin, »kann ich Ihnen auch nicht weiterhelfen. Sie vergeuden Ihre Zeit.«

Nachdem ich den Taxifahrer bezahlt hatte, stieg ich aus und begann, die Suche zu Fuß fortzusetzen, weil ich mir in den Kopf gesetzt hatte, Florian Filmers Haus um jeden Preis zu finden.

Und ich fand es auch.

Ich irrte so lange umher, bis ich nicht mehr im Stadtteil Bogenhausen war, sondern in einem Viertel, das mir völlig fremd war, obwohl ich seit über 15 Jahren in dieser Stadt lebe. Es war ein großzügig angelegter Stadtteil mit breiten Straßen, hochfenstrigen Häusern, Balkonen und Stukkaturen, mit mächtigen Toren und großen Gärten, eben wie Bogenhausen, aber doch nicht Bogenhausen. Die menschenleeren Straßen waren von Kastanienbäumen umsäumt, die ihre Riesenarme in den grauen Himmel hinausstreckten, und die Häuser hatten abweisende, leblose Fassaden, als wohnte niemand in ihnen. Hier und da waren Autos geparkt, die eher wie verrostete Blechhaufen aussahen.

Als ich den Strickladen gegenüber Florians Filmers Haus entdeckte, wußte ich, daß ich am Ziel meiner langen Suche war. Wie oft hatte ich aus den breiten Fenstern des Wohnzimmers diesen Laden gesehen und auch die Frau darinnen, die wie ausgestopft aussah. Grau schimmerten ihre hochgesteckten Haare. Auch heute hatte sie die gleiche Frisur.

Ich ging auf die andere Straßenseite und blieb vor Florian Filmers Haus stehen. Ich wußte, daß das das Haus war, das ich suchte, obwohl es mit der Villa des Regisseurs kaum Ähnlichkeit hatte. Aber es war sein Haus. Es stand mitten in einem verwilderten Garten wie eine Ruine in der Wildnis. In großer Einsamkeit lagen da verfallene Gemäuer und in die Erde versinkende Säulen herum, von Brennesseln und Unkraut überdeckt. Dazwischen auch der stillgelegte Springbrunnen.

Das Schild an der Gartentür war rostig und zerkratzt, so daß der Name Florian Filmer nicht mehr zu erkennen war. Über der Tür hingen von einer sterbenden Ulme eine Handvoll laubloser Äste herab. Als ich die Tür berührte, gingen die Flügel knarrend auf, und ich betrat den Garten mit seinen verdorrten Bäumen und vertrockneten Sträuchern. Manchmal schwirrten Fledermäuse durch die Luft, und mein eigener Schatten strich lang und dunkel in der Einsamkeit neben mir her. Noch gespenstischer wurde die Leere, als ein Schwarm von Raben erschrocken aus allen Richtungen aufstieg und mit lautem Geschrei davonflatterte.

Ich griff ins Gras. Es war trocken wie Holz und knisterte in meinen Fingern. Plötzlich fühlte ich mich so erleichtert, daß ich vor Freude singen und tanzen wollte. Es hatte niemals einen Florian Filmer gegeben. Und da es ihn nicht gegeben hatte, hat es auch die anderen, die Produzenten, den Kameramann, die Schauspieler nicht gegeben. Ich hatte schon immer geahnt, daß es die Phantasie war, die zügellose, die sich erlaubt hatte, mir einen Streich zu spielen.

Als ich wieder zu Hause war und den Brief und den Scheck nicht mehr finden konnte, war ich endgültig überzeugt, daß ich alles nur geträumt hatte. Das Herz bebte vor Freude und fühlte sich so leicht an, als ob es von einer schweren Last befreit worden wäre.

Es war ein strahlender Wintertag, und ich beschloß spazierenzugehen. Als ich die Veterinärstraße in Richtung Englischer Garten hinunterschritt, hallte mir schon ein heiterer Walzer entgegen, der Walzer der Schlittschuhläufer auf dem zugefrorenen Kleinhesseloher-See. Ich beschleunigte meine Schritte, hielt aber dann vor einer Ampel, um mir eine Zigarette anzuzünden. Das Licht stand auf Rot für die Autos, die mit laufenden Motoren ungeduldig warteten. Ein Autofahrer kurbelte das Seitenfenster herunter, und bevor er weiterfuhr, hörte ich Musik- und Gesprächsfetzen aus seinem laut aufgedrehten Autoradio. Es war die Werbung der Service-Welle. Die Musik erinnerte mich an eine seltsame Collage aus deutschen und türkischen Schlagern.

Das kenne ich doch, dachte ich schaudernd, das kommt mir bekannt vor.

Die Musik wurde von einer sanften Frauenstimme, der Stimme der Ansagerin, übertönt, die wie eine kaputte Schallplatte immer wieder dieselben Sätze wiederholte:

Jetzt in den Kinos... mit dem ersten Preis der Europarade-Filmfestspiele ausgezeichnet... das meisterhafte Kunstwerk des weltberühmten Regisseurs... mit Top-Besetzung: Helmut Hallenberger und Lili Lehmann... Drehbuch Lale Gülen und Florian Filmer...

Als die Ampel ihre Farbe wechselte und das Auto davonschoß erscholl es noch aus dem offenen Seitenfenster: Jetzt in den Kinos...

Achterbahn

Nach einem Oktoberfestbesuch war ich so voll von Geräuschen, Farben und Gefühlen, daß ich sofort eine Erzählung schreiben wollte. Ich hatte im bunten Gedränge auch viele Landsleute gesehen, die einsam herumschlenderten. Selbst wenn sie bayerische Lodenanzüge trugen, fielen sie auf. War es die Melancholie in ihren dunklen Augen, die sie verriet?

Echte Münchner waren eigentlich nicht bayerisch angezogen. Die Damen in Dirndlkleidern oder die Herren in Lederhosen und mit Gamsbarthüten waren Besucher, die nicht aus München stammten, zum größten Teil Ausländer. Ich hatte sogar einen Japaner in Lederhosen gesehen, an dessen Brust ein riesiges Schokoladenherz hing, das Herz der Weltstadt, auf das mit Schlagsahne das Münchner Kindl gemalt war.

Es waren fast mehr Fremde als Einheimische unterwegs, zum größten Teil Amerikaner, die alles mit einem lockeren »how wonderful« bewunderten. Es war überhaupt viel los an diesem Abend zu Füßen der mächtigen Bavaria, die mit einem mütterlichen Lächeln auf ihrem Steingesicht über das Lichtermeer blickte.

In das Gekreische aus der Geisterbahn mischten sich amerikanisch klingende deutsche Schlager, mit denen die auf und ab strömende Menge in die Karussels gelockt werden sollte. Wenn Schausteller die Passanten zum Einsteigen und Mitmachen aufforderten, hatten auch ihre Rufe einen amerikanischen Klang: Hello, ladies and gentlemen, so daß sich die Wies'n immer mehr in ein Disney-Land verwandelte, beherrscht von dem plastischen Lächeln der Mickeymouse-Masken, die in den Schießbuden zu gewinnen waren.

In den Duft gebrannter Mandeln mischte sich der brutzelnde Fettgeruch knackiger Würste und Brathendl, vor allem aber der Biergeruch aus den riesigen Bierzelten. Dort herrschte ein undurchdringlicher Dunst aus Zigarettenqualm. Heiser schunkelten die Gäste im Takt süddeutscher Sauflieder. Innerhalb weniger

Minuten verlor mein Trommelfell jegliches Empfinden. Mit aller Kraft versuchte ich, durch das Gedränge vorwärtszukommen. Eine stramme Kellnerin, in jeder Hand fünf volle Maßkrüge, aber stand vor mir wie eine Mauer aus Fleisch. Zillertal, du bist mei freid, begann die Kapelle aufs Neue, und der Qualm brannte mir in den Augen, obwohl ich selber eine starke Raucherin bin.

Da sah ich ihn wieder, den jungen Landsmann, der sich im überfüllten Saal einen Platz suchte. Sofort wußte ich, daß er der Held meiner Geschichte sein würde.

Dicht umringt von vergnügten, die Bierzeltmelodien vor sich hin summenden, mehr oder weniger betrunkenen Menschen verließ ich irgendwann die Wies'n und schob mich mit ihnen am Goetheplatz in die U-Bahn. Ich war so ungeduldig, ich konnte es kaum erwarten, an den Schreibtisch zu kommen.

Der Bleistift war fast schneller als meine Finger, als er sich auf dem leeren Papier in Bewegung setzte:

Ahmet fühlte sich sehr einsam in dem wirren, lärmenden Gewühl. Obwohl er seit über 15 Jahren als Gastarbeiter in diesem Land lebte, hatte er weder Freunde noch Bekannte. In der Hoffnung, einen Landsmann zu treffen, blickte er in alle Richtungen, doch das Gedränge nahm ihn mit sich, trieb ihn von Bierzelt zu Bierzelt, von Karussell zu Karussell, ohne daß er sich entscheiden konnte, was er mit diesem Abend anfangen sollte.

Plötzlich merkte ich mit großem Erstaunen, daß die Zeilen auf dem Blatt durcheinandergerieten, das Blatt unheimlich raschelte und sich zu zerknüllen begann, so daß ich den Bleistift weglegen mußte. Ich wollte meinen Augen nicht trauen, und das Herz pochte voller Angst, als sich das Papier in kleine Fetzen zerriß. Plötzlich stand ein junger Mann vor mir, der niemand anderer war als mein Held Ahmet.

»Jetzt aber genug«, fuhr er mich etwas hart an, »ich habe es satt, ständig einen so klassischen Namen zu haben wie Ali oder Ahmet oder Mustafa, verflixt noch mal.« Und mit süddeutschem Slang fuhr er fort: »Ich hasse es auch, ständig als Gastarbeiter agieren zu müssen. Ich habe etwas gegen diesen Beruf. Ich heiße von nun an Tamer und bin Student.«

Mit großen verwunderten Augen starrte ich meinen Helden an.

»Ich mache mich selbständig«, sprach er weiter, während er in meinem Arbeitszimmer nervös auf und ab ging. »Du wolltest doch bestimmt wieder eine traurige Geschichte schreiben, nicht wahr?« maß er mich mit prüfenden Blicken. »Über die Einsamkeit in der Fremde, Magenkrankheit, Heimweh, Sehnsucht, Kälte usw. Das alles kennen wir ja schon.«

Er hielt inne, um Atem zu holen, dann fuhr er energisch fort:

»Wolltest du mich wieder an Magenblutung oder an gebrochenem Herzen sterben lassen wie deinen Helden Mustafa Karaoglu in der Geschichte ›Die Rolltreppe‹? Oder wie in deinem Gedicht ›Die Ängste des Mustafa Karaoglu‹ meine Angst beschreiben?

Alpträume Nacht für Nacht.
Schweiß bricht ihm aus.
Atemnot.
Er dreht sich im Bett,
sein Körper, bleischwer, wie tot.«

Er schwieg, um mich mit forschenden Blicken zu durchdringen. Dann wandte er sich mit einem spöttischen Lachen von mir ab: »Ha, ha, ha. Merk' dir was: ich will nicht mehr acht Stunden am Fließband hocken.«

»Nun ja«, stotterte ich endlich, während ich weiterhin den jungen Landsmann anstarrte, der mit Bleistiften und Papieren auf meinem Schreibtisch spielte.

»Was wolltest du zum Beispiel jetzt über mich schreiben?« fragte er mich. »Wieder so einen sentimentalen Kram, was?«

»Nun ja«, stotterte ich mit trockenem Mund, »daß du dich zum Beispiel an die Feste deiner Kindheit erinnerst, während du auf der Wies'n herumschlenderst.«

»Und dann?« durchbohrte er mich mit einem fragenden Blick.

»Und dann«, murmelte ich nachdenklich, »stellst du wehmütig fest, daß die Farbenpracht und all das Phantastische des Oktoberfestes nicht so schön sind, wie auch nur ein Bruchteil der Feste deiner Kindheit in deinem Dorf.«

»Siehst du?« lachte er wieder spöttisch, »da haben wir's. Genau das will ich nicht. Merke dir folgendes: Erstens stamme ich nicht aus einem anatolischen Dorf, sondern aus einer Großstadt in der Türkei. Warum immer ›Dorf‹, zum Kuckuck noch mal? Diese klischeehafte Dorfromantik mit den immer gleichen Beschreibungen in Rückblenden: Die goldgelben Weizenfelder wehten leise im Hitzedunst, und so weiter und so fort. Zweitens mußt du wissen, daß das Oktoberfest wirklich viel prächtiger als die Feste meiner Kindheit ist. Kein Vergleich. Ich liebe das Oktoberfest, das ich jedes Jahr leidenschaftlich gern besuche, kapiert?«

»Schon gut«, antwortete ich gekränkt, »dann wäre aber deine Geschichte meiner Meinung nach nicht mehr so interessant.«

»Du sagst es«, lacht er, »deiner Meinung nach. Aber muß denn alles immer so traurig sein? So herzzerreißend mit viel Melancholie und Dorfromantik und einer täuschenden Idylle? Du bist selber ein Großstadtmensch. Stammst du nicht aus Istanbul oder Ankara oder Izmir, die promovierte Germanistin, hast du jemals die goldgelben Weizenfelder in Natura gesehen? Die gibt es nämlich nicht, wenn du es genauer wissen willst. Dein kaltes Deutschlandbild, ja, das kannst du vermitteln. Aber auch das stimmt nicht. Auch hier gibt es einen schönen Sommer, auch hier blühen die Bäume mit herrlichen Farben. Und auch du genießt den Sommer im Biergarten am Chinesischen Turm, und wenn du in der Isar oder im Ammersee schwimmst, ist es mindestens so schön wie im Bosporus oder im Marmarameer oder in der Ägäis. So ist es doch, nicht wahr?«

»Ja, ja«, gestand ich, während mein Held gnadenlos fortfuhr: »Und was die Einsamkeit anbetrifft: Auch hier habe ich Freunde, sogar mehr als zu Hause. Was heißt ›mehr als‹? Zuhause habe ich fast keine Freunde mehr, abgesehen von Rahmi, mit dem ich vor vielen, vielen Jahren in die Hauptschule gegangen bin und mit dem ich Drachen gebastelt habe... Aber sonst habe ich keine Freunde in der Türkei, nur einige Verwandte, zu denen ich nicht mehr als einen losen Kontakt halte.«

Mein Held, plötzlich nachdenklich geworden, schwieg, und ich wußte, daß ich jetzt etwas sagen mußte.

»Wenn du keine Melancholie und keine Romantik, wenn du keine wehmütigen Gefühle willst, was willst du dann?« schrie ich ihn fast verzweifelt an, der sich von mir trennen, eigene Wege gehen wollte.

»Spannung«, antwortete er mit glänzenden Augen. »Das wäre ja mal was Neues, gell? Viel Spannung und Unwirkliches, Märchenhaftes.«

»Ich weiß nicht recht«, murmelte ich nachdenklich, »wie willst du das denn machen? Wie kannst du aus einem ganz gewöhnlichen Oktoberfestbesuch ein spannendes Märchen konstruieren?«

»Du bist mit deinem Latein am Ende, was?« lachte er mich aus, »aber das überlasse mir, Frau Autorin. Wie gesagt, ich mache mich von nun an selbständig.«

»Du wirst es alleine nicht schaffen«, rief ich ihm nach, als er meine Wohnungstür aufmachte, »du wirst mich noch brauchen, das sage ich dir.«

Er blieb kurz im Türrahmen stehen, kratzte sich nachdenklich am Ohr, und sprach diesmal mit einer sanften Stimme, die fast wie eine Entschuldigung für sein freches Benehmen klang: »Vielleicht. Wir sehen weiter.«

Dann knallte er die Wohnungstür hinter sich zu, und ich hörte eine kurze Weile seine knallharten Schritte im Treppenhaus, dann wurde alles still.

Die Autorin beobachtete ihren Helden, den Studenten Tamer, im Durcheinander der Wies'n und mußte sich viel Mühe geben, ihn nicht aus den Augen zu verlieren.

Tamer war ein junger Mann, hochgewachsen, mit dunkelblonden Haaren und hellbraunen Augen mit einem grünlichen Schimmer. Er trug Jeans und einen dicken weißen Pullover.

Tamer war nicht allein. Lisa, seine deutsche Freundin, ging neben ihm. Manchmal legte sie ihren Kopf an Tamers Schultern oder hakte ihn unter. Rötlich blond leuchteten ihre Locken in den flimmernden Lichtern.

Jedes Jahr mindestens einmal zum Oktoberfest zu gehen, war für Tamer wie eine Pflichtübung. Tamer dachte an seinen Vater, der früher immer gesagt hatte, daß sich die ganze Familie am ersten Tag des Zuckerfestes am Ende des Ramadan im Elternhaus treffen sollte. Der alte Mann bestand darauf, indem er das Familientreffen am Zuckerfest zu einer Art Pflichtübung gemacht hatte.

In seinen ersten Deutschlandjahren hatte sich Tamer oft gefragt, was er tun würde, wenn einmal das Oktoberfest und das Zuckerfest zusammenfielen. Welche Verpflichtung würde dann für ihn die wichtigere sein? Seitdem aber seine Eltern nicht mehr lebten, gab es diese Gedanken nicht mehr und nichts, aber auch gar nichts mehr, verband ihn mit »Zuhause«.

»Hier bin ich zuhause«, sagte er sich, »in Deutschland.« Das sagte er auch seiner deutschen Freundin Lisa, die er erst seit kurzer Zeit kannte. Lisa bedeutete ihm nur wenig mehr als eine Discobekanntschaft. Vor Lisa hatte er auch andere deutsche Freundinnen gehabt, und in der Zeit, als er mit der strohblonden Ute Schluß gemacht hatte, war ihm Lisa im muffigen Geruch einer halbdunklen Disco buchstäblich in die Arme gelaufen.

Sie war eine junge Frau, die das Zuhören mehr als das Reden liebte. Gerade diese Eigenschaft aber gefiel Tamer an ihr. Er wurde des Erzählens nicht müde.

»Das Oktoberfest ist etwas Prächtiges, das gebe ich ja zu«, sagte er aufgeregt, »aber die Feste meiner Kindheit...«.

(Hatte sich Tamer doch von dem Konzept der Autorin beeinflussen lassen?)

»Es gab nur Schiffsschaukeln und Schaukelwippen«, erzählte er mit einem wehmütigen Glanz in den Augen, »aber trotzdem war's schön. Straßenhändler verkauften bunte Luftballons oder Zuckerwatte. Oh, ich kann dir diese Farben nicht beschreiben. Dieses sanft leuchtende Rosa...«.

Lisa nickte mit dem Kopf, als ob sie die Feste in Tamers Kindheit kannte. Ein leichtes Lächeln erhellte ihr frisches Gesicht. Sie schaute sich um und sprach dann leise: »Auch hier gibt es Straßenhändler. Auch sie verkaufen orientalische Sachen. Da, in der Bude da drüben gibt es türkischen Honig. Oder Halwa.«

Plötzlich wurde Tamer nachdenklich. Eine Erinnerung gewann vor seinen Augen Gestalt und Farbe. Er erklärte ihr, daß diese orientalischen Sachen schon immer auf Jahrmärkten feilgeboten worden seien. »Auch in alten Zeiten«, beteuerte er, »als mein Großvater in Deutschland war. Auch er kam wie ich zum Studieren in dieses Land.«

Tamer sah noch seinen Großvater auf dem Balkon des Holzhauses am Strand sitzen und hörte seine ruhige Stimme, die nie müde wurde, von Deutschland zu erzählen.

Die Jahrmarktsverkäufer waren damals echte Orientalen, die einen Fes trugen – sie sahen aus, als spielten sie mit in der »Entführung aus dem Serail«. Und diese Männer sprachen im Chor mit einer sanften, melancholischen Melodie als sängen sie.

»Und was sangen sie?« wollte Lisa wissen, ohne neugierig zu wirken. Gerade gingen sie, Tamer und Lisa, an einem Bierzelt vorbei, aus dem ihnen ein dumpfes Brausen entgegenschlug. Wie Meeresrauschen klang es, ohne daß sie die Menge sahen, von der dieses Geräusch ausging. Sie blieben auf einem Platz stehen, der von kreisenden Lichtern zuckend erhellt wurde. Tamer starrte von dort in das Dunkel hinein, das hinter dem Eingang der Wies'n begann und sich in Richtung Goetheplatz hinzog.

»Laka laka zug zug«, antwortete er nachdenklich.

»Wie bitte?« fragte Lisa mit großen, verwunderten Augen.

»Sie konnten nicht gut Deutsch, wie viele Gastarbeiter heute«, erklärte Tamer rasch, »der Chor ›laka laka zug zug‹ bedeutete: Lecker, lecker, zuckersüß.«

»Ach so«, murmelte Lisa.

Zum zwanzigsten oder fünfzigsten Mal spielte die Kapelle im Bierzelt den Refrain: Ein Prosit, ein Proosit der G'müetlichkoait...

In diese Aufforderung zum Weitertrinken mischte sich die anspruchslose Polka des Karussells direkt neben dem Bierzelt. Mit großer Geschwindigkeit drehten sich die Pferdeköpfe aus bemaltem Holz. Tamer dachte an seinen Großvater, an den Balkon und an den Garten, an die Flammenblüten der Granatapfelbäume und an den unwiderstehlichen Duft der Orangenhaine. Und an das Meer.

Der Großvater hatte in Deutschland Maschinenbau studiert und sich in eine Deutsche verliebt, die er nicht heiraten durfte, weil die Eltern für ihn bereits die Braut ausgesucht hatten. Nach dem Studium war er in die Türkei zurückgekehrt und hatte seine Braut, Tamers Großmutter, geheiratet.

Es war immer Tamers Wunsch gewesen, auch in Deutschland zu studieren. Gleich nach dem Abitur war er dorthin gekommen, hatte beim Studienkolleg Deutsch gelernt und die Aufnahmeprüfung für Maschinenbau bestanden. Es hatte ihm in Deutschland dann so gut gefallen, daß er das Studium immer wieder verlängert hatte, um bleiben zu können. Nach 15 Semestern hatte er zwar eingesehen, daß er nun das Studium endlich abschließen mußte, doch dann war ihm die Promotion als Anlaß für die Verlängerung der Aufenthaltserlaubnis zur Hilfe gekommen. Nun war er zwar kein Regelstudent mehr, sondern ein Doktorand, dachte aber keineswegs daran, seine Dissertation zu schreiben. So war er inzwischen zu einem ewigen Studenten geworden.

Er hockte jeden Tag stundenlang im Bücherstaub der Staatsbibliothek, nur um Löcher in die Luft zu bohren. Viel länger aber hockte er in den kellerartigen Studentencafés oder Discotheken Schwabings. Es genügte der Paß mit dem Stempel »Aufenthaltserlaubnis für die Bundesrepublik Deutschland, einschließlich West Berlin«, um ihn glücklich zu machen. Nur bei dem Gedanken, wieder zum Kreisverwaltungsreferat zu müssen, wenn die Aufenthaltsgenehmigung abgelaufen war, überkam ihn ein Schauder. Nur in diesem düsteren Gebäude mit den zahllosen Korridoren und verschlossenen Türen fühlte er sich als Ausländer. (Als Tamer sich an dieses schreckliche Gebäude erinnerte, mußte er notgedrungen der Autorin rechtgeben, und ihr Gedicht »Die Ängste des Mustafa Karaoglu« brannte wie Feuer in seinem Herzen. Wie der Gastarbeiter Karaoglu fragte er sich zitternd: Was, wenn mir die Aufenthaltsgenehmigung nächstes Mal nicht verlängert wird?)

Allein der Gedanke, sich von seinem Deutschland trennen zu müssen, genügte, sein Gesicht zu verdüstern und seine Augen trüb und schwer zu machen. Dabei wußte er nicht einmal genau, was ihn an Deutschland so faszinierte. Bereits im Studienkolleg hatte er angefangen, dieses Land zu lieben, sogar dessen Klima und dessen Menschen. Ihn beeindruckte die Individualität dieser Menschen, die Selbstverständlichkeit, mit der sie den Kopf schüttelten und »Das ist nicht mein Bier« sagten gegenüber der fast erstickenden Herzenswärme in seinem Land, die ihm als »Gefühlsausbeutung« erschien.

Am Anfang war er in den Semesterferien seinen Eltern zuliebe nach Hause gefahren. Zu Hause hatte er dann den Tyrannen gespielt, der ständig an allem herumkritisierte, und war dann voller Heimweh nach Deutschland zurückgekehrt. Seit dem Tode seiner Eltern war er aber nicht mehr zu Hause gewesen. Daß seine Geschwister das schöne alte Holzhaus abreißen lassen wollten, hatte ihn kaum gekümmert.

Inzwischen waren's sieben Jahre, daß er nicht zu Hause gewesen war. Stattdessen genoß er hier das Studentenleben in vollen Zügen und machte sich kaum Gedanken über die Zukunft.

Das Karussell hielt plötzlich an. Die Polkamelodie erstickte mit einem zerhackten Laut. Trunken vom Gerstensaft, den Tönen der Blechmusik und dem Flimmern des Lichts strömte die Menge über die breiten Straßen der Wies'n. Die Frau an der Kasse vor dem Karussell zählte das Kleingeld. Bevor die Polka wieder einsetzte, drehten sich schon die Holzpferde. Tamer starrte sehnsüchtig auf die Pferde, die sich mit der schneller werdenden Musik immer atemberaubender zu drehen begannen. Vom Widerschein der Lichter war Tamers Gesicht grell erhellt.

Laka laka zug zug, sangen nun die Verkäufer in ihren Buden, die türkischen Honig oder Halwa feilboten.

»Laß uns mitfahren«, sagte Tamer plötzlich zu Lisa.

»Aber nicht doch mit dem Karussell«, murmelte das Mädchen, »wir sind ja keine Kinder.«

»Nein, natürlich nicht«, rief Tamer mit glänzenden Augen, »ich meine die Achterbahn da drüben.«

»Ach nein«, meinte das Mädchen, »das ist mir zu gefährlich. Ich habe Angst. Schau, wie hoch und steil die Kurven sind. Wenn der Strom ausfällt oder wenn die mir kaputtgeht... Nein, lieber nicht, Tamer, ich habe auch Höhenangst.«

»Bist du mir aber ein Angsthase«, schimpfte Tamer leicht verärgert. »Fahr du doch alleine«, sprach Lisa, »ich warte hier auf dich.« Tamer rannte zur Kasse der Achterbahn. Er freute sich auf die Berge und Täler, durch die er in einem bunten Metallkasten sausen würde, hinauf in endlose Höhen und wieder hinab in die Tiefe. Sein Herz zog sich zusammen vor Spannung.

Um den Weg zu überqueren, mußte er sich durch den Menschenstrom hindurchkämpfen. Aus allen Richtungen war Schlagermusik zu hören, auch Gelächter und trunkene Schreie. Plötzlich hielt er inne, um den Tumult über sich hinweg branden zu lassen.

Er sah bereits die Metallwagen, die in bodenlose Abgründe hinabrasten, um mit Donnergeräusch wieder in unbeschreibliche Höhen zu klettern. Seine Augen mußten sich erst an diesen Rhythmus gewöhnen, bevor er die Figuren, die die Lichter beim Rauf- und Runterrasen zeichneten, entziffern konnte: ein gigantischer Wasserfall, ein »Lichterfall«, der in allen Blautönen rauschte.

Wie phantastisch das alles ist, flüsterte Tamer, als er vor der Kasse der Achterbahn Schlange stand.

Als er nach einigen Minuten in seinem Metallwagen saß und sich an den Stangen an beiden Seiten festhielt, schaukelte das Häuschen noch frei in der Luft. Die Talfahrt mit schwindelerregender Geschwindigkeit hatte noch nicht begonnen. Dennoch ergriff Tamer ein leichtes Übelkeitsgefühl, als er hinunterschaute und die Leute und die Karussells und alles andere so klein wie

Spielsachen erschienen. Tamer schloß die Augen. Sein Gesicht war blaß geworden. Er klammerte sich noch fester an die kalten feuchten Metallstangen.

Das leichte Schaukeln in der Luft, hoch über den Bierzelten, Schieß- und Wurstbuden, genügte, um ein tiefes Gefühl der Leere in Tamer zu erzeugen. Dann wurde das Schaukeln etwas schneller, und plötzlich war es, als wenn man, aus einer Kurve geschleudert, mit rasender Geschwindigkeit einen steilen Abhang hinabsauste und Todesangst sich mit dem Rausch des Sturzes mischte.

Die Berge, die Tamer hinauf- und die Täler, in die er hinabfuhr, spürte er mehr und mehr in der Brust und in der Magengegend, das heftige Raufundrunter verlagerte sich mehr und mehr in sein Inneres.

Wie aus undenklichen Fernen hörte er die Angst- und Freudenschreie der Mitfahrenden in den Metallhäuschen über und unter sich. Tamers Augen waren geschlossen. Seine Hände klammerten sich in die feuchte Kälte der Metallstangen zu beiden Seiten, bis er merkte, daß die verrückte Fahrt nur noch abwärts ging, hinab in finstere Täler.

Mühsam machte er die Augen auf. Überall war es dunkel, ja sogar stockfinster. Ein Licht nach dem anderen erlosch in den Bierzelten und Buden unter ihm, und immer schneller stürzte Tamer in das Dunkel, das ihn wie eine steigende Flut umgab.

Stromausfall, dachte er halb ohnmächtig. Stromausfall und der größte Unfall der letzten Jahre oder des Jahrhunderts auf der Wies'n. Alle Mitfahrenden glitten in den Tod. Die Sinne entschwanden ihm. Er versuchte, die Augen zu schließen, was ihm aber nicht gelang, saß da wie ausgestopft und halb bewußtlos und erlebte das Hinabstürzen wie einen schweren Traum ohne Ende. Wenn ich nur bremsen könnte, dachte er, sich hilflos dem Sturz hingebend.

Erst nach einigen Minuten, die Tamer wie Jahre erschienen, kam er auf die Idee, daß es kein Stromausfall und kein Unfall sein konnte, denn in dem Fall hätte ja der Alptraum schon längst mit einem ungeheueren Zusammenstoß geendet. Doch die Qual des Hinabstürzens in die Finsternis dauerte noch an.

Es war aber nicht mehr so finster, sondern tiefblau. Von irgendwoher ertönte eine leise Musik, und es ging immer noch bergab.

Plötzlich merkte Tamer, daß seine Handflächen an keiner feuchten Kälte mehr klebten. Seine Hände lagen locker auf dem Schoß. Er saß auch nicht mehr im Metallhäuschen der Achterbahn, sondern schwebte frei in einer lichten Bläue. Sanfte Musik und schemenhafte Figuren umgaben ihn, und alles glitt nicht mehr allzuschnell weiter abwärts.

Die Todesangst überwunden, fühlte Tamer eine leichte Wärme in seinen Gliedern, und das Bewußtsein kehrte allmählich zurück. Dieser Sturz war ein phantastischer, zauberhafter Rausch, doch zugleich war Tamer beunruhigt, weil er sich nicht erklären konnte, was geschehen war. Zutiefst wünschte er sich, endlich wieder die Erde zu berühren, um sich von der lichten, immer heller werdenden Bläue zu befreien, die ihn mit zarten Traumfäden gefesselt hatte.

In diesem Augenblick dachte er sehnsüchtig an die Autorin, die ganz und gar nicht vorgehabt hatte, ihn in ein solches Abenteuer stürzen zu lassen. Seine eigene Abenteuerlust war es, die ihn in diesen Abgrund gezerrt hatte. Wie gerne hätte Tamer jetzt die Autorin um Rat gebeten.

Die Autorin hingegen war Tamer neugierig bis zur Kasse der Achterbahn gefolgt. Zwar war sie keine alte Frau, aber auch nicht mehr sehr jung, noch dazu ein unsportlicher Mensch und eine starke Raucherin. Dennoch hatte sie die gefährliche Talfahrt heimlich mitgemacht und ihren Helden nicht im Stich gelassen.

Nach einiger Zeit, die Tamer wie eine Ewigkeit vorkam, verlangsamte sich der Sturz immer mehr, und die Bläue, die Tamer umgab, wurde heller und heller, bis grelles Tageslicht seine Augen blendete.

Er fand sich plötzlich in einer Baumhöhle wieder, die große Ähnlichkeit mit der Höhle in der uralten Platane hatte, in der er als kleiner Junge so gern gespielt hatte. Die Platane seiner Kindheit stand mitten in einem vom einem Blechzaun umgebenen Garten. Ein hageres Pferd mit Scheuklappen trottete gleichmäßig in der Mitte des Gemüsegartens im Kreis, während das Wasser im Bewässerungsgraben leise rauschte. Der Gärtner war ein alter Mann, ein kinderlieber Mensch, der den Kleinen erlaubte, im Gemüsegarten zu spielen, solange sie die Wasser- und Honigmelonen nicht zertraten.

Der Gemüsegarten lag etwas außerhalb der Stadt, und die Kinder mußten den Weg, der sich die Bucht entlangschlängelte, in Pferdekutschen fahren, um zum Gemüsegarten zu kommen.

Die Platane ist die meiner Kindheit, doch den Gemüsegarten gibt es nicht mehr, dachte Tamer, als er aus der Baumhöhle herauskroch und sich umblickte. Statt des Gemüsegartens erstreckte sich den Strand entlang ein Biergarten, und aus Lautsprechern dröhnte es pausenlos: In München steht ein Hofbräuhaus.

Deutsche Gesprächsfetzen drangen aus dem Biergarten in Tamers Ohren, nur selten türkische. Die Deutschen, die dort saßen, trugen kurze Hosen, leichte Hemden, breite Strohhüte und dicke Sonnenbrillen. Sie lachten so fröhlich, als ob sie im Urlaub wären.

Das ist es ja, schlug sich Tamer plötzlich mit der Hand gegen die Stirn, das sind Touristen, die hier Urlaub machen. Dann, dann ist es also doch meine Heimatstadt.

Tamer kannte bereits von früher solche Deutsche, die mit den Deutschen in Großvaters Erzählungen nicht die geringste Ähnlichkeit hatten. Die Disziplin, das ernste, seriöse Auftreten, das strenge Ordnungsgefühl kannten diese Leute schon damals nicht. Tamer hatte diese fröhlichen Menschen immer bewundert und geglaubt, die Deutschen seien immer so, bis er in Deutschland zu leben begann und die Deutschen aus Großvaters Erzählungen wiederfand und feststellte, daß ihm die Urlauber-Deutschen eigentlich viel lieber als die richtigen Deutschen waren. Inzwischen bewunderte er aber auch die richtigen Deutschen und empfand jetzt stattdessen das ungezwungene Auftreten der Urlauber ziemlich befremdend.

Langsam ging er in den Biergarten, ließ sich auf einem Holzstuhl nieder und vergrub das Gesicht in den Händen, um über das Abenteuer mit der Achterbahn und das Ziel seines Sturzes in die Tiefe in aller Ruhe nachzudenken.

Wie war denn so was überhaupt möglich? bohrte sich die Frage in sein Inneres. Wieso hat mich die Achterbahn in meine Heimatstadt gebracht? Ist das hier wirklich meine Heimatstadt? Und wenn, muß sich aber vieles geändert haben. So vieles. Man hat den Gemüsegarten abgerissen und stattdessen einen Biergarten gebaut. Was mag wohl aus dem Gärtner geworden sein? Vielleicht ist er tot. Damals, als ich klein war, war er ja schon ein alter Mann...

Der türkische Kellner fragte Tamer auf deutsch, was er ihm bringen dürfe. Tamer fragte ihn auf türkisch, ob sie auch Tee hätten. Als er nach einigen Minuten seinen Tee schluckte, diese rubinrot leuchtende, heiß duftende Flüssigkeit im zierlichen Gläschen, hatten sich seine Augen immer noch nicht an das grelle Sonnenlicht gewöhnt, und das Übelkeitsgefühl, das von der rasenden Fahrerei zurückgeblieben war, war noch leicht in der Magengegend zu spüren.

Was nun? dachte Tamer mit gerunzelter Stirn, soll ich jetzt meine Geschwister besuchen? Und wie komme ich überhaupt nach Deutschland zurück? Ich habe ja keinen Paß dabei, keine Papiere, gar nichts. Nicht einmal Geld.

Vielleicht wäre er in ein Hotel gegangen, statt seine Geschwister und Verwandten aufzusuchen, wenn er Geld bei sich gehabt hätte. Und im Hotel hätte er bestimmt zuerst in aller Ruhe ein Bad genommen und dann ein gutes Essen bestellt. Dann hätte er im Hotelzimmer darüber nachgedacht, wie er nach Deutschland zurückkehren könnte. Da er aber keinen Pfennig bei sich hatte, blieb ihm nichts anderes übrig, als sich zu Fuß auf den Weg zu machen, um sich bei seiner Familie zu melden. Erst in diesem Augenblick fiel ihm ein, daß er nicht einmal in der Lage war, den Tee zu bezahlen. Er rief den jungen Kellner. »Ich bin der jüngste Sohn des verstorbenen Architekten Irfan Kök, dem Enkel des Maschinenbauingenieurs Salih Kök«, begann er stammelnd, und mit Staunen und Erleichterung stellte er fest, wie das Gesicht des Kellners sich mit einem Lächeln erhellte: »Sie sind Herr Tamer, der in Deutschland studiert?«

»Ja, der bin ich, mein Junge.«

»Machen Sie hier Urlaub?«

»Ja ja, so kann man auch sagen. Nun hör mir mal zu, mein Junge, ich habe meine Geldtasche zu Hause liegen lassen. Geht es, wenn ich den Tee morgen bezahle?«

»Aber nicht doch, Herr Tamer. Sie brauchen ihn nicht zu bezahlen. Das ist ein Geschenk des Hauses.«

»Danke, danke«, murmelte Tamer verlegen und genierte sich, den Jungen zu fragen, wie er zu dem Haus seiner Familie kommen könnte.

Tamer ging durch Straßen, die ihm fremd waren, Straßen, in denen er als Kind Räuber und Gendarm gespielt hatte und als heranwachsender Junge den hübschesten Mädchen der Stadt nachgelaufen war. Überall ragten nun Wolkenkratzer in die Höhe, wo früher schöne, alte Holzhäuser gestanden hatten. Entlang der Uferpromenade sah er wesentlich mehr Hotels als vor sieben Jahren. Viele der schönen hohen Palmen waren gefällt, damit die Straße breiter wirken sollte. Es gab auch kaum noch Pferdekutschen, sondern viel mehr Autos als früher und deshalb auch viel mehr Abgasgestank. Und überall wimmelte es von Touristen, hauptsächlich von Deutschen.

Es war Spätnachmittag. Die Sonne stand noch hoch am Horizont und ergoß einen Strom von Licht über die glühende Stadt. Und die Stadt schien wie unter einem Hitzeschleier zu schlummern und zu träumen. Nur vom Meer her wehte ein wenig Kühlung. Im tiefblauen Spiegel des Meeres zitterten diamantene Lichter, und die Pomeranzeninsel schwamm wie ein weißes Traumbild in der Ferne.

Tamer mußte sich gestehen, wie schön das alles war, trotz der vielen Veränderungen.

Wie habe ich diese Landschaft jahrelang entbehren können, fragte er sich, als er in Straßen und Gassen einbog, in der Hoffnung, das Haus seiner Kindheit zu finden, sich aber immer wieder verlief. Fenster, Mauern und Gärten, von vielfarbiger Blütenpracht überwuchert, versetzten Tamer in ein unbeschreibliches Glücksgefühl. Er schritt in die Wärme der engen Straßen hinein, und Kindheit und Jugend dufteten ihm an allen Ecken entgegen.

Die Straßen waren voll Licht und Leben, tausend Gerüche zogen durch die lauwarme Luft, frisch gefangene Fische blitzten silbrig auf den Holztabletts der Straßenverkäufer. Dennoch war alles anders als früher. Und Tamer kam sich vor wie ein Siebenschläfer, weil er fast nichts wiedererkannte oder fand, weder die weißgestrichenen Häuschen am Strand und an den Treppengäßchen, noch die Treppengäßchen selbst, an deren Stelle Asphaltstraßen gebaut worden waren.

Tamer wollte seinen Augen nicht trauen, als er endlich das Haus seiner Kindheit wiederzufinden glaubte. Es war kein Holzhaus mit Erkern und Gitterfenstern, sondern ein ganz gewöhnliches Hochhaus aus Beton, ein Mietshaus wie jedes andere. An dem Klingelschild suchte er seinen Namen und klingelte anhaltend bei Kök.

Tamers Besuch war eine große Überraschung für seine Geschwister. »Hättest du uns vorher geschrieben«, sagte sein großer Bruder, »hätten wir dich vom Flughafen abgeholt.«

Tamer hatte den weißen Pulli sofort ausgezogen, weil es ihm zu heiß war. Er bat seinen Bruder, ihm ein leichtes Hemd zu leihen und erzählte nebenbei, er hätte seinen Koffer und die Aktentasche mit Paß und Geld verloren, erwähnte aber nicht das Übelkeitsgefühl von der rasenden Talfahrt, das noch immer andauerte.

Als er die gefüllten Auberginen seiner Schwägerin aß und den kleinen Neffen und Nichten die Köpfe streichelte, fand er die Familienatmosphäre so warm und gemütlich, daß er seine Verwunderung und Enttäuschung über die Veränderungen in seiner Heimatstadt lieber verschwieg. Die Frage der großen Schwester, wie lange er zu bleiben vorhatte, überhörte er und schaute aus dem Fenster. Langsam verschwand die Sonne hinter dem Horizont, und der Himmel färbte sich zartrosa.

»Dein Freund Rahmi«, begann sein großer Bruder, »mit dem du in die Hauptschule gegangen bist...«

»Ja, was ist mit ihm?« unterbrach ihn Tamer.

»Er ist in ein Touristikunternehmen eingestiegen«, fuhr der große Bruder fort. »Hotelketten und so, das ganz große Geschäft. Du mit deinen Deutschkenntnissen könntest da ganz schön mitmachen, wenn du wolltest. Das Studium hast du ja beendet. Wozu die Promotion? Komm endlich endgültig zurück und baue dir eine Existenz auf.«

»Er hat recht«, warf der Schwager, der Mann der großen Schwester, ein.

»Mal sehen«, murmelte Tamer. »Könntet ihr mir übrigens ein bißchen Geld leihen? Ich will in die Stadt und die alten Freunde besuchen.«

Die große Schwester steckte ihm eine dicke Rolle Geldscheine in die Brusttasche und streichelte ihm die Wangen.

»Aber rasiere dich vorher«, meinte sie.

Als Tamer in den lauen, dunkelblauen Abend hinaustrat, fand er seine Heimatstadt so schön, so unbeschreiblich schön, daß er ein Gedicht an sie geschrieben hätte, wenn er nur ein wenig dichterische Begabung gehabt hätte.

Bevor er seinen alten Freund aufsuchte, suchte er eine Telefonzelle, um Lisa anzurufen. Er konnte sich nicht vorstellen, daß das arme Mädchen immer noch auf der Wies'n war und am Karussell gegenüber der Achterbahn auf ihn wartete. Sie mußte sich um

Tamer Sorgen machen und wartete sicher ungeduldig auf ein Lebenszeichen. Tamer wollte ihr von seinem seltsamen Abenteuer berichten, obwohl er davon überzeugt war, daß sie ihm nicht glauben würde. Als er, aus allen Poren schwitzend, in der Telefonzelle stand, merkte er, daß er sich nicht mehr an Lisas Telefonnummer erinnerte, und da er sein Adreßbüchlein nicht dabei hatte, blieb ihm nichts anderes übrig, als darauf zu verzichten, mit Lisa zu telefonieren. Stattdessen entschloß er sich, bei sich selbst anzurufen.

Er fütterte den Apparat mit Münzen für ein Auslandsgespräch und wählte die lange Nummer mit den vielen Vorwahlnummern. Am anderen Ende des Drahtes klingelte es. Als eine frische Stimme »Hallo« sagte, schluckte der Apparat mehrere Münzen auf einmal, so daß Tamer ihn schnell wieder füttern mußte.

»Wer ist am Apparat?« fragte Markus, mit dem Tamer in der Schwabinger Wohngemeinschaft wohnte.

»Servus, Markus«, rief Tamer, »ich bin's.«

»Ja, Servus, Tamer«, entgegnete Markus erstaunt, »wo steckst du denn, Junge? Du bist so lange weg, daß wir uns nun allmählich Gedanken machen, was wir mit deinem Zimmer machen sollen.«

»Übertreib doch nicht«, brummte Tamer leicht verärgert und dachte: Typisch deutsch. Kaum verschwindet man auf etwas seltsame Weise für ein paar Stunden, denken die, man sei für immer verschwunden. Was muß wohl die Lisa den Jungs erzählt haben?

»Bist du noch da?« fragte ihn Markus, während Tamer den Apparat wieder eifrig mit Münzen füttern mußte.

»Natürlich bin ich noch da«, antwortete Tamer völlig verschwitzt. Es war so heiß in der Telefonzelle, und die Luft stickig.

»Und wann kommst du zurück?« wollte Markus wissen.

»Sobald es mir möglich ist. Du, ich muß jetzt aufhören, weil ich keine Telefonmünzen mehr habe.«

»Telefonmünzen?« staunte Markus, »von wo rufst du denn an?«

Bevor aber Tamer antworten konnte, hatte der Apparat gierig auch die letzte Münze mit einem dumpfen Knacklaut geschluckt.

Was nun, fragte sich Tamer, als er in die herabsinkende Nacht hinaustrat. Nicht einmal der heftige Lärm der Uferpromenade, der Freilichtlokale und Eisdielen konnte die Stimmung dieser Stunden entzaubern. Wie eine wunderbare Wiege war diese sanfte Nacht, und Tamer ließ sich in sie hineinsinken, während ihn seine

Schritte zum Reisebüro seines alten Freundes Rahmi trugen. Wie alle Läden und Lokale hatten auch die Reisebüros bis Mitternacht auf.

Inzwischen schienen sich die Lichter der Pomeranzeninsel, die bis vor kurzem noch so nah waren und wie Leuchtkäfer zwischen den Bäumen am Strand funkelten, über das Wasser zu entfernen und sanft, eines nach dem anderen, in der Dunkelheit zu entschwinden.

»Erinnerst du dich noch«, sprach Rahmi mit einem heiteren Lachen, »du warst der Meister beim Drachenbasteln. Und die Farben des Glanzpapiers, es war ein Rot...«.

»Ja«, unterbrach Tamer seinen Freund, »und was macht das Geschäft?«

»Es läuft gut, sogar sehr gut«, antwortete Rahmi stolz, »ich suche einen Partner mit guten Deutschkenntnissen. Für die Filiale auf der Pomeranzeninsel. Komm, Tamer, mach mit, steig ins Geschäft ein. Genügen dir so viele Jahre in Deutschland immer noch nicht? Was willst du noch mit der Promotion? Für unser Unternehmen brauchst du keine Promotion. Übernimm die Leitung der Hotelkette auf der Insel. Ich brauche dich, Junge. Mit deinen Deutschkenntnissen wärst du mir ein unentbehrlicher Partner.«

»Die Insel?« murmelte Tamer träumerisch, »Ja, das klingt alles sehr verlockend für mich.«

Schon als Kind hatte die Pomeranzeninsel eine unbeschreibliche Anziehungskraft auf Tamer ausgeübt. Da war das glasgrüne Wasser, das wie ein flimmernder, durchsichtiger Spiegel über dem hellweißen Sand schwappte; da waren rundum die graubraunen, tief zerklüfteten Felsen und die Höhlen mit den bunten, mit Austernschalen gesprenkelten Wände, der angenehmen Kühle und dem unwiderstehlichen Sog der blauen Tiefe.

Wenn ein Außenstehender Tamer in seiner Heimatstadt beobachtet hätte, hätte er sicher behauptet, daß Tamer sich nach so vielen Jahren in der Ferne eigentlich wieder sehr gut zu Hause eingelebt hätte. Tamer wirkte froh und sorglos, lachte hell und erzählte viel, verwöhnte seine kleinen Neffen und Nichten mit Geschenken und zeigte keinerlei Anzeichen von Heimweh nach Deutschland. In seinem Inneren aber ging es desto stürmischer zu. Unentschlossen und uneins mit sich selbst durchlitt er Höllenqualen. Einerseits wollte er um jeden Preis nach Deutschland zurück, um in den Kellerlokalen in der Schellingstraße das Studentenleben, an dem er ja so hing, fortzusetzen, andererseits gefiel ihm das Leben in seiner Heimatstadt immer mehr, so daß er sich sogar mit dem Gedanken anfreunden konnte, Rahmis Partner zu werden und Geld, viel Geld zu verdienen.

Ich werde verrückt, dachte er. Wenn ich nur wüßte, was ich machen soll. Und wenn ich mich entschlösse, nach Deutschland zurückzugehen, wie könnte ich das überhaupt ohne Paß und Papiere?

Nachdenklich ging er die Uferpromenade entlang, die Hände in die Hosentaschen gesteckt.

Als er eines Tages bei einem solchen Spaziergang die Autorin in einem Lokal unter freiem Himmel am Strand sitzen sah, atmete er erleichtert auf. Langsam ging er zu ihr und setzte sich an ihren Tisch, nachdem er höflich »Ist hier frei?« gefragt hatte.

Ruhig rührte die Autorin mit einem Löffel in ihrem Teegläschen herum.

»Was nun?« fragte Tamer plötzlich. »Ich bitte dich, hilf mir aus dieser unerträglichen Lage. Ich schwöre dir, ich halte es nicht mehr aus. Zwinge deine Phantasie und tu etwas.«

»Auf Befehl kann ich nichts schreiben«, entgegnete die Autorin. »Außerdem war das ganze nicht meine Idee. Du hast diese unwirkliche Geschichte angefangen, und du mußt auch dafür ein Ende finden.«

»Aber ich kann's nicht«, schrie Tamer verzweifelt, »ich kann's nicht, verdammt noch mal! Ich bin mit meinem Latein am Ende. Bis jetzt war alles gut und schön, aber wie soll es weitergehen?«

Seine Stimme zitterte. Er war dem Weinen nahe.

»Es gibt auch Geschichten ohne Ende«, belehrte ihn die Autorin. Ihre Stimme hatte einen lockeren Klang. »Das Ende kann man auch dem Leser überlassen«, fuhr sie fort, »zum Beispiel: Als Tamer unentschlossen am Strand spazierenging, ging die Sonne funkelnd im dunkelblauen Wasser unter...«

»Nein«, unterbrach Tamer sie schluchzend, »da ist doch kein Pfiff drin. Du mußt für die Geschichte ein Ende finden, das zu meinem seltsamen Abenteuer paßt.«

»Ach ja«, lächelte die Autorin, »es war nicht nur ein seltsames Abenteuer. Es war auch viel Spannung dabei. Zwar hattest du, als du in meinem Arbeitszimmer plötzlich auftauchtest und dich von mir befreien wolltest, von Spannung gesprochen, doch so viel Phantasie hatte ich dir eigentlich nicht zugetraut. Mir stockte der Atem, als ich die rasende Fahrerei mit der Achterbahn mitmachen mußte. Und die Stange, an der ich mich festhalten mußte, schnitt mir tief in die Handflächen.«

»Tut mir leid, tut mir echt leid«, murmelte Tamer, »aber ich finde es lieb von dir, daß du mitgefahren bist.« Dann schaute er sie flehend an: »Nun schreib bitte auch ein Ende für meine Geschichte, damit ich mich endlich aus dieser Unentschlossenheit befreien kann und weiß, wo ich hingehöre.«

»Weißt du das selbst nicht?« fragte ihn die Autorin, als sie sich eine Zigarette ansteckte.

»Nein«, schrie Tamer und fuhr sich mit der Hand durch die Haare. Während er sprach, zitterten seine Lippen: »Nein, nein, nein, verflucht nochmal! Laß dir bitte etwas einfallen.«

»Ich dachte, du hast bessere Ideen als ich«, antwortete die Autorin ruhig.

»Ich sagte dir doch«, schluchzte Tamer, »daß ich mit meinem Latein am Ende bin.« Er vergrub das Gesicht in den Händen, Tränen rollten über seine Wangen.

»Du machst doch morgen eine Bootsfahrt mit deinem alten Freund, nicht wahr?« fragte ihn die Autorin. »In die Höhlen der Pomeranzeninsel!«

»Ja, wieso?« stotterte Tamer.

»Ach, nichts weiter«, murmelte die Autorin nachdenklich.

Obwohl Tamer kein Frühaufsteher war, stand er am nächsten Morgen bereits um sechs Uhr am Strand und wartete auf Rahmi, der ihn mit seinem Motorboot abholen wollte. Das erste Sonnenlicht vergoldete die Wipfel der Palmen. Schnell begann die Sonne zu steigen und über die Dächer in die langen, stillen Straßen der Stadt hineinzuscheinen.

Die Bucht füllte sich mit unzähligen Fischerbooten. Da kam auch Rahmi. Tamer schwang sich in das Boot, das sich sogleich zur Pomeranzeninsel hin zu entfernen begann.

Vor dem Eingang zu den Höhlen warfen sie Anker. Das flaschengrüne, klare Wasser erinnerte an ein Aquarium, in dem sich der feine Sand am Meeresgrund und die grün-rötlichen Algen greifbar nah spiegelten. Die beiden Freunde hielten sich an den Felsen fest und tasteten sich in die Höhlen hinein vor, in eine bläuliche Kühle, die sich wie ein nasses Tuch um sie legte.

»Warte«, rief plötzlich Rahmi, »wir haben den Fotoapparat vergessen. Ich hole ihn schnell vom Boot.«

Tamer ging allein weiter, ohne auf seinen Freund zu warten. Er ging weiter und weiter, um sich in einem unwiderstehlichen Sog zu verlieren, während in seinen Ohren die schönste Musik erklang und diese zauberhaften Melodien ihn in einen Schwebezustand zwischen Bewußtsein und Bewußtlosigkeit sinken ließen.

Und dann begann wieder diese Talfahrt, bis Tamer die Sinne entschwanden. Dennoch nahm er wie in einem schweren Traum wahr, daß die rasende Fahrt dieses Mal nicht bergab, sondern bergauf ging, und irgendwann langsamer und langsamer wurde. Und dann war es plötzlich keine Fahrt bergauf mehr, sondern nur noch ein sanftes Drehen auf der Stelle. Tamer spürte etwas Hartes in seinen Handflächen. Es war aber nicht die Metallstange der Achterbahn, sondern ein Stück bemaltes Holz. Eine buntbemalte Rakete schaukelte einige Meter über der Erde. Tamer saß in einem Karussell für Erwachsene, in dem sich statt Holzpferden Raketen und Flugzeuge drehten. Dazu erklang aus Lautsprechern ein Schlager, der ihm wohl bekannt war: Düse, düse, düse im Sauseschritt.

»War nett, gell?« schmiegte sich Lisa an Tamer, »ich habe nur wenig Angst gehabt, als wir in der Luft herumgeschleudert wurden.«

Tamer zog die Augenbrauen in die Höhe, während er Lisa von sich schob. »Wo ist die Achterbahn?« rief er, »ich will mit der Achterbahn fahren!«

»Aber Schatzi«, staunte das Mädchen, »es gibt dieses Jahr keine Achterbahn. Die ist doch verboten worden, weil sie so gefährlich ist.«

Fassungslos starrte Tamer Lisa an, als sie taumelnd aus ihrer Holzrakete ausstiegen und sich unter die Menge mischten, die sich in den breiten Straßen der Wies'n, zu Füßen der Bavaria, zwischen Bierdunst und dem Duft gebrannter Mandeln und türkischen Honigs auf und ab schob.

Ein Halwaverkäufer mit einem orientalischen Fes auf dem Kopf pries seine Ware an: Lecker, lecker, zuckersüß...

Absender:

Name

Straße und Hausnummer oder Postfach

PLZ Ort

Bitte den Verlagsprospekt auch an:

Name

Straße und Hausnummer oder Postfach

PLZ Ort

Bitte ausreichend frankieren!

Brandes & Apsel Verlag
Nassauer Str. 1–3

D–6000 Frankfurt 50

Und Tamer dachte: Seit einem Jahr gibt es also die Achterbahn nicht mehr. Ist denn so viel Zeit vergangen? Mir kommt es vor, als ob ich alles gerade erst erlebt hätte. Ein Jahr... Deshalb klang Markus also so aufgeregt am Telefon, als er mich fragte, weshalb ich so lange von mir nichts hätte hören lassen.

Das Siebenschläfergefühl, das Tamer bei der Ankunft in seiner Heimatstadt gehabt hatte, verspürte er bei der Rückkehr auf die Wies'n nicht. Nichts hatte sich hier verändert. Ein Japaner in Lederhosen drückte sein Schokoladenherz an die Brust, und eine Amerikanerin im Dirndlkleid sagte »How wunderful« zu ihrem Mann.

Es ist verrückt, dachte Tamer, alles ist so verrückt.

Dann erblickte er die Frau vor einer Würstchenbude, Mitte dreißig vielleicht, die hastig ihre Zigarette rauchte, während sie auf ihre Pommes Frites wartete. Die fingerbreiten Kartoffelstreifen zischten in der Friteuse und strömten appetiterregende Duftwolken aus.

Ihre Blicke trafen sich. Die Frau lächelte, als ob sie Tamer grüßen wollte.

Wir kennen uns doch, dachte Tamer, aber woher? Während er sich zu erinnern versuchte, faßte er Lisa am Arm und schleppte sie zur Würstchenbude. Angeblich um Pommes Frites zu holen. Als sie sich aber endlich durch das Gedränge geschoben hatten und vor der Würstchenbude ankamen, war die Frau mit dem geheimnisvollen Lächeln verschwunden.

Und dann jagte das Gedränge Tamer im Sauseschritt von Bierzelt zu Bierzelt, von Karussell zu Karussell, ohne daß er sich entscheiden konnte, was er mit diesem Abend anfangen sollte. Und er zitterte vor Kälte in dem leichten Sommerhemd, das ihm sein großer Bruder geliehen hatte.

Feuerregen

Sevim saß kerzengerade in der Straßenbahn und starrte nachdenklich vor sich hin. Nervös spielte sie mit dem Griff ihrer Handtasche und führte stille Selbstgespräche. Ihre Gedanken kreisten um eine Frau, um eine schöne, blonde, nicht gerade sehr junge Frau. Sie ist bestimmt älter als ich, dachte Sevim, aber hübscher und gepflegter als ich. Ich kenne sie nur von dem Foto, das ich in der Brieftasche meines Mannes gefunden habe. Mit der schönen Widmung. Soviel Deutsch verstehe ich schon: In ewiger Liebe und Freundschaft. Deine Dagmar. Dagmar heißt also die Hure. Der werde ich's zeigen.

Sevim preßte ihre Lippen zusammen, als der Fahrer der Straßenbahn in sein Mikrophon rief: Nächster Halt Karlsplatz Stachus.

Ich muß bei der übernächsten Station aussteigen und einkaufen, dachte Sevim, ja, ich muß alles machen, für alles sorgen, und manchmal weiß ich nicht, wo mir der Kopf steht. Und mein Mann? Genau wie er, sogar schwerer als er arbeite ich jeden Tag im Betrieb. Damit ist es aber nicht getan. Ich habe dann die zusätzlichen Pflichten. Die Kinder, den Haushalt, das Essen. Und er? Er weiß gar nichts von diesen Dingen. Er weiß nicht einmal, was die Schuhe oder Schulhefte der Kinder kosten. Aber wenn er heimkommt, falls er heimkommt, verlangt er, daß das Essen auf dem Tisch steht. Genau nach seinem Geschmack. Heiß und scharf gewürzt. Und wehe, wenn das Essen nicht auf dem Tisch steht... Ich weiß, daß alles eine Ausrede ist, wenn er gleich nach dem Essen verschwindet und behauptet, er würde in eine türkische Kneipe gehen, Raki, türkischen Anisschnaps, trinken und mit Landsleuten Tricktrack spielen, um das Heimweh zu stillen. Heimweh? Da lachen ja die Hühner. Er hat schon seit Jahren keines mehr. Nur ich habe Heimweh. Ich habe mich an dieses Land nicht gewöhnen können, wo unsere Ehe, unser Familienleben kaputtgegangen sind. Es wäre besser gewesen, wenn wir nicht nach Deutschland gekommen wären. Wir waren zwar arm, aber irgendwie glücklich. Mein Mann und ich, wir liebten uns damals, wir liebten uns richtig.

Sevim nahm ein Taschentuch aus ihrer Handtasche, um die Tränen abzuwischen. Sie genierte sich, daß sie in der Straßenbahn weinte, fühlte sich aber etwas erleichtert, als eine alte Dame mit Federhut, die ihr gegenüber saß, sie mütterlich anlächelte.

»Gute Menschen gibt es überall«, dachte Sevim, »auch in diesem Land«, und zerknüllte das Taschentuch in der Hand.

Nein, bestimmt hatte Demir kein Heimweh mehr, seit er Dagmar kannte. Wann hatten sie sich überhaupt kennengelernt? Wer war diese Frau überhaupt? Arbeitete sie in derselben Firma wie er, oder hatte er sie woanders kennengelernt, beim Fasching zum Beispiel, oder auf dem Oktoberfest?

»Nächster Halt: Hauptbahnhof«, dröhnte es aus den Lautsprechern der Straßenbahn. Die alte Dame mit Federhut starrte Sevim noch mit sorgenvollen Blicken an. Warum war die alte Dame denn so schick?

»Ach ja, es ist ja Silvester heute abend«, erinnerte sich Sevim, »ich muß einkaufen, kochen und mich für heute abend hübsch machen. Und die Kinder muß ich waschen, kämmen, hübsch anziehen.«

Erst jetzt nahm Sevim alles wieder wahr, die bunt geschmückten Schaufenster draußen, die frühzeitig abgeschossenen Feuerwerkskörper, die erwartungsvolle Festtagsatmosphäre. Silvester, lächelte sie höhnisch, so was kannten wir nicht, bevor wir in dieses Land eingewandert sind. Stattdessen feierten wir andere Feste in unserem Dorf. Den Ramadan, das Opfer- oder Republikfest und das Erntefest. Die farbenfrohen Feste meines Dorfes mit Volkstänzen und Fackelzügen am Marktplatz, mit fröhlichen Liedern und frohmütigen Menschen, die das Lachen nicht verlernt hatten. Und auch die Hochzeiten waren großartige Feste. Das ganze Dorf feierte mit, jeder war eingeladen. Unsere Hochzeit war die schönste, die in unserem Dorf je gefeiert wurde. Und ich war so glücklich, die Frau des Ingenieurs Demir zu sein. Ich konnte es kaum glauben. Immer schon hatte ich ihn geliebt und bewundert, als er damals in der nächstgelegenen Kleinstadt studierte. Jeden Tag fuhr er mit dem Bus, mit Zeichengeräten und Mappen unter dem Arm. Und als seine Eltern zu meinen Eltern kamen, um um meine Hand anzuhalten, schwebte ich im siebenten Himmel. Er war ein Kind armer Eltern wie ich, aber das kümmerte mich nicht... Wir haben im Dorf geheiratet und zogen dann in die Kleinstadt, wo er beim staatlichen Vermessungsamt eine Stelle bekommen hatte. Eine winzige Wohnung am Stadtrand hatte er bereits gemietet, für mich ein Palast ohnegleichen.

Sevim merkte nicht, daß sie laut weinte und mit jedem Schluchzer ihre Schultern heftig zitterten.

»Kann ich helfen?« fragte die alte Dame mit Federhut, als Sevim mühsam aufstand.

»Nein, danke«, erwiderte sie zerstreut und nahm wieder das vorzeitige Feuerwerk wahr, das wie Artilleriefeuer klang und Sevim noch unruhiger machte.

Bevor sie ausstieg, drehte sie sich um und sagte der alten Dame in ihrem gebrochenen Deutsch: »Gutes neues Jahr.«

»Ihnen auch«, entgegnete die alte Dame, »ich weiß zwar nicht, warum Sie so leiden, aber Kopf hoch. Nur Kopf hoch.«

Im Supermarkt, der noch den Weihnachtsschmuck trug (überall hingen künstliche Tannenzweige mit künstlichem Schnee) und zugleich für Silvester bunt geschmückt war, war es heiß. Zu heiß. Die Luft war stickig, Sevim schwitzte.

»Was soll ich am Silvesterabend kochen?« fragte sie sich und schlenderte ziellos an den mit Lebensmitteln vollbeladenen Regalen vorbei.

»Putenbraten wie die Deutschen? Aber scharf gewürzt, genau nach seinem Geschmack. Ob er heute abend überhaupt heimkommt?«

Der Supermarkt wimmelte von Menschen, Deutsche, Landsleute, andere Ausländer, die gierig nach Konservendosen und Gefrierpackungen griffen, als ob sie über die Feiertage eine Hungersnot erwartete.

»In diesem Land werden die Menschen nie satt«, stellte Sevim fest. »Bevor wir hierher kamen, begnügten wir uns mit einem Stück trockenem Brot. Und jetzt?«

Die Menschen rempelten Sevim beim Vorbeieilen mit ihren vollbeladenen Einkaufswagen an. Diese vorsilvesterliche Hektik machte Sevim noch nervöser und noch deprimierter. Auch sie schob den Einkaufswagen vor sich her, wenn auch ohne jede Hektik. Sie war nachdenklich, unablässig setzte sie ihre stillen Selbstgespräche fort, als jemand sie mit einem »Hallo, Liebling«

auf Deutsch begrüßte. Erschrocken zuckte sie zusammen und ließ ihre Handtasche fallen.

»Ach, ich hätte es wissen müssen,« beruhigte sie sich gleich wieder. Es war Gönül, eine Landsmännin, die in diese Gesellschaft so integriert zu sein glaubte, daß sie sogar mit ihren Landsleuten nur Deutsch sprach. Jedenfalls die Begrüßung. Nach der Begrüßung genügten ihre Deutschkenntnisse allerdings nicht, die Unterhaltung in deutscher Sprache fortzusetzen. Sie hatte einen fürchterlichen Akzent, dafür aber ein auf den ersten Augenblick täuschendes europäisches Aussehen. Goldgefärbte Haare, grün angemalte Augenlider, westliche Kleidung, zu modisch für ihr Alter.

Doch der Schein trog. Die schwarzen Wurzeln unter den goldgefärbten Haaren, die dicken und kurzen Beine in den engen Jeans, die Hände groß, breit und häßlich trotz der leuchtenden Diamantringe, die Finger, die einst blutend Baumwolle gepflückt... Das war doch die Gönül Dalaman aus Adana. Alle Mitglieder der Familie Dalaman waren in Sevims Augen Integrationsfanatiker, bis auf Gönüls Schwiegermutter, die hier zu Besuch war. Sevim dachte immer, daß die Lebensweise der Dalamans für die alte Frau ein Schock sein mußte, und hatte Mitleid mit ihr. »Merhaba«, entgegnete Sevim auf türkisch, »kaufst du für den Silvesterabend ein, Gönül?«

»Ach was«, kicherte Gönül, »heute abend essen wir nicht zu Hause. Wir gehen aus, Schätzchen, wir werden den Silvesterabend richtig feiern. Wie die Deutschen. Wir fahren nach Starnberg. Dort findet ein türkischer Silvesterball statt. Mit Bauchtanz und so. Kommt doch einfach mit, du und Demir.«

»Mal sehen«, murmelte Sevim, obwohl sie genau wußte, daß aus dieser Einladung nichts werden würde.

»Mal sehen«, wiederholte sie wie ein Automat und griff nach einer Packung gefrorener Pute in der Tiefkühltruhe des Supermarkts.

*

Die alte Frau, Gönüls Schwiegermutter, fühlte sich hier gar nicht wohl. In der prächtig eingerichteten Wohnung ihres Sohnes ging sie gedankenvoll auf und ab, ließ die Gebetskette durch ihre hageren, knochigen Finger gleiten und flüsterte islamische

Gebete vor sich hin. Tausend Fältchen durchzogen ihr Gesicht, ihre glasigen Augen waren voller Schwermut, ihr zahnloser Mund stand immer halboffen, als ob die alte Frau etwas sagen wollte, aber sich nicht traute.

Die barocke Einrichtung mit zierlichen Sesseln und schmucken Tischlein, die seidenen, farbenreichen Teppiche, die Gemälde an den Wänden, die stattliche Hausbar in der Ecke, das alles ekelte sie an. Sie vermißte ihr kleines Haus in Adana, den niedrigen Diwan, die schlichten Kelims in ihrem Wohnzimmer. Sie vermißte die Sonne, die Wärme, verdammte die Kälte hier, und alles, vor allem aber ihren Sohn, der sich so verändert hatte.

Es ist alles ihre Schuld, dachte die alte Frau, diese Hure von Gönül, meine Schwiegertochter, hat ihm den Kopf verdreht. Damals schon. Als sie barfuß in den steinigen Gassen von Adana Himmel und Hölle spielte oder auf den Feldern des Herrn Numan Aga, unseres Großgrundbesitzers, Baumwolle pflückte. Damals schon hatte mein Ismet ein Auge auf sie geworfen. Als ob sie ein Ausbund von Schönheit gewesen wäre.

Die alte Frau ging ins Bad, um die rituelle Waschung vor dem Gebet vorzunehmen. Nur das Badezimmer gefiel ihr in dieser Wohnung, das Badezimmer mit fließend warmem Wasser. Sie wunderte sich, daß aus dem Wasserhahn warmes, sogar heißes Wasser kam, wenn man ihn aufdrehte, obwohl niemand Feuer gemacht hatte. Nur das warme Wasser bezeichnete sie als Wunder, während alles andere, der Fernseher, der Videorecorder, die Stereoanlage, für sie Teufelswerk waren. »Sie sind wie verzaubert«, dachte die alte Frau, als sie das warme Wasser dreimal über ihre Ellbogen gleiten ließ. Frisch glänzten die Wassertröpfchen auf ihrer welken Haut.

»Sie sind von diesem Land besessen«, murmelte sie, »alle vier, die ganze Familie, mein dummer Sohn, meine kokette Schwiegertochter, meine sogenannten Enkelkinder, die mir so fremd sind und nicht einmal gescheit Türkisch können. Sie haben sich so verändert. Marionetten sind sie geworden. Traditionen gehen kaputt, alles geht kaputt, und sie merken es nicht einmal. Am schlimmsten sind die Kinder dran. Sie gehorchen nicht mehr, sie treiben sich den ganzen Tag herum, gehen zum Spielsalon oder in die Discothek. Das ist doch Sünde. Alles ist Sünde, was in diesem Land getrieben wird. Es ist so schmerzhaft, das alles mitzuerleben. Sie haben sogar eine Hausbar und saufen alle. Alle vier. Mein Sohn und seine Frau öffentlich, und die Kinder heimlich. Sie werden alle in die Hölle gehen. Und die Spielsucht meines Sohnes. Das ist ja das Allerschlimmste. Wenn sein seliger Vater das wüßte. Er verspielt doch sein ganzes Geld, das er in diesem Land verdient. Und diese Hure von Gönül versucht nicht einmal, ihn davon abzubringen.«

Die alte Frau trocknete ihre schmalen Arme und Beine ab und knotete ihr Kopftuch fester zu. Dann holte sie ihren Gebetsteppich aus dem Schrank.

Nein, freiwillig war sie, die alte Frau, nicht in dieses Land gekommen. Es waren gesundheitliche Gründe gewesen. Die türkischen Ärzte hatten gesagt, daß sie mit ihrem Latein am Ende seien. Daraufhin hatte ihr Sohn sie in dieses heidnische Land geholt, wo die Ärzte mit ihrem Latein noch nicht am Ende waren. Die Augenoperation war ja wunderbar gelungen. Und der Arzt, der Halbgott im weißen Kittel, war kein Heide, obwohl er ein Deutscher ist. Wie hieß er nochmal? Krüger, ja Krüger.

Die alte Frau wandte sich nach Mekka und drehte die Glieder der Gebetskette mit ihren dürren Fingern: »Alle Reichtümer auf dieser Erde und im Jenseits für Herrn Krüger, und allmächtiger Gott, gib bitte meinem Sohn und seiner Frau und deren Nachwuchs viel Vernunft und befreie sie von dem Hundeleben, das sie in diesem Land führen.«

Es läutete. Hatte die blöde Schwiegertochter wieder ihren Schlüssel vergessen? Die alte Frau grüßte die Engel auf ihrer rechten und linken Schulter und stand leise von dem Gebetsteppich auf.

»Ein Hundeleben«, wiederholte sie mit gerunzelter Stirn, »wäre doch die Augenoperation nicht gelungen und hätte ich nicht alles mit eigenen Augen gesehen!«

Wie oft hatte sie ihren Sohn gebeten, ihr die Rückfahrkarte zu kaufen. Aber jedesmal hatte Ismet mit dem Kopf geschüttelt.

»Nein, Mutter, Du bist eine alte, kranke Frau. Ich möchte nicht, daß du alleine lebst. Sei doch geduldig. Bald haben wir die Schulden des Strandhauses in Mersin abbezahlt. Dann gehen wir alle zusammen in die Türkei zurück. Endgültig.«

Inzwischen glaubte die alte Frau nicht mehr an dieses Märchen und hatte die Hoffnung aufgegeben, die Heimat wiederzusehen.

Ich werde in diesem Land sterben, dachte sie schaudernd.

Es klingelte wieder. Die alte Frau schlurfte in ihren Pantoffeln zur Wohnungstür, während sie vor sich hin brummte: »Sie werden alle in die Hölle gehen, mit Ausnahme von Herrn Krüger. Und ich werde für ihre Seelen beten. Beten. Beten.«

Sie steckte die Gebetskette in die Brust und fragte mit einer mißtrauischen Stimme: »Wer ist da?«

»Ich bin's, Mutter«, kreischte Gönül draußen.

Die alte Frau schob mühsam den Türriegel auf, und Gönül trat, mit Paketen vollbeladen, in die Wohnung.

»Silvestergeschenke«, zwitscherte sie, nach einer Erklärung suchend.

»Silvester«, raunte die alte Frau, »solche europäische Sitten kannten sie nicht, bevor sie in dieses Land einwanderten.«

*

Demir saß vor dem Fernseher, die Beine übereinandergeschlagen, und rauchte Pfeife. Graublaue Rauchwolken kräuselten sich über seinem Kopf. Demir sah nachdenklich aus. In Wirklichkeit verfolgte er gar nicht das Fernsehprogramm, dafür war er zu unkonzentriert. Er ließ alles an sich vorbeigleiten, den Kinderlärm im Nebenzimmer wie die Fernsehsendung über die wichtigsten Ereignisse des vergehenden Jahres. Die Auslandsreisen des Papstes oder des Außenministers interessierten ihn nicht. Auch nicht die heftigen Diskussionen über irgendwelche neue Waffensysteme.

Einst werden sie die Erde sowieso in die Luft jagen, dachte er und zog gierig an seiner Pfeife. Mein eigenes Leben ist jetzt schon ein Trümmerhaufen.

Er stand auf und schaltete den Fernseher aus.

»Wo bleibt denn Sevim?« murmelte er vor sich hin. Sicherlich kaufte sie jetzt für heute abend ein, obwohl sie ganz genau wußte, daß er heute abend nicht zu Hause sein würde.

Sie hätte jetzt hier sein sollen, wo er sie brauchte, und ihm einen starken türkischen Mocca kochen, aber sie war ja nie da, wenn er sie brauchte.

Nicht die Fernsehbilanz des vergehenden Jahres, sondern die Bilanz seines eigenen Lebens in Deutschland zog er, während er den bittersüßen Nikotingeruch tief in sich einsog. Wie schwer doch die erste Zeit gewesen war. Ohne die Sprache war er plötzlich zu einem Analphabeten geworden, obwohl er – im Gegensatz zu Sevim – Akademiker war. Ein stummer Akademiker in den ersten Deutschlandjahren.

Die Fremde wurde mir aber zur Heimat, dachte er, durch Dagmar. Eine Frau hat mir mein Leben in Deutschland schön gemacht, aber nicht meine Frau, diese hilflose, unkultivierte Sevim, sondern eine deutsche Frau, reif, hübsch, gepflegt, belesen, verständnisvoll. Heute weiß ich, daß ich keine Sklavin, sondern eine gleichwertige Partnerin brauche. Durch sie habe ich hier eine neue Heimat gefunden, durch sie bin ich ein neuer Mensch geworden.

In Gedanken versunken ging er im Zimmer auf und ab, blies den Rauch seiner Pfeife in die Luft und versuchte, sich an die Zeit zu erinnern, bevor er nach Deutschland eingewandert war.

»Ich war ja in Sevim nie verliebt«, stellte er fest, während er die Pfeife in den Aschenbecher leerte. »Es war der Wunsch meines Vaters, daß ich sie heiratete. Dann aber gewöhnte ich mich an sie, gewann sie schon irgendwie lieb. Damals. Als ich ein armer Vermessungsingenieur war und sie die glückliche Ehefrau. Vielleicht wäre es besser gewesen, wenn es dabei geblieben wäre. Dann hätte ich nicht gewußt, daß es auch ein anderes Leben geben kann. Und ich hätte zufrieden gelebt. Mit Kinderlärm und Bescheidenheit in der anatolischen Provinz. Jetzt weiß ich aber, daß es auch ein anderes Leben gibt. Das Leben in Deutschland, das Leben mit Dagmar... Ein schweres Jahr geht zu Ende, und ein neues fängt an. Deshalb hasse ich die Silvesterabende.«

Demir füllte seine Pfeife mit frischem Tabak und rief befehlend ins Nebenzimmer: »Seid doch etwas still, Kinder!«

»Aber Papi«, entgegnete die kleine Nesrin auf Deutsch, »wir haben vergessen, daß du da bist. Du bist ja so selten da.«

Genau wie ihre Mutter, dachte Demir, schlagfertig, bissig. Sie ist ihr aus dem Gesicht geschnitten. Sie sind ihr alle aus dem Gesicht geschnitten, auch mein Sohn und meine große Tochter. Vielleicht liebe ich sie deshalb nicht, nicht richtig. Vielleicht weiß ich deshalb nicht, was ihre Schuhe oder Schulhefte kosten. Ich schmeiße das Geld auf den Tisch und sage zu Sevim, sie möge damit machen, was sie will. Den Kindern Schuhe oder Schulhefte kaufen, oder mit den Kindern abhauen, wohin sie will. Verdammt noch mal. Aber eines sollte sie sich von den Kindern zum Vorbild nehmen, die Deutschkenntnisse. Sie ist seit so langer Zeit in Deutschland und kann immer noch nicht richtig Deutsch. Nur ein paar Brocken. Was sagte meine kleine Nesrin zu mir: Aber, Papi! – auf Deutsch. Das muß man meinen Kindern lassen, daß sie perfekt Deutsch reden. Wenigstens in dem Punkt schlagen sie nicht nach ihrer Mutter. Ich hänge doch irgendwie an meinen Kindern. Sie sind ja mein eigenes Fleisch und Blut.

Demir ging ins Nebenzimmer, nahm die kleine Nesrin in die Arme und küßte sie auf die Wangen.

»He, Papi«, rief die Kleine erstaunt, »ist bei dir alles in Ordnung?«

»Wieso?« stotterte Demir, räusperte sich und fragte mit autoritärer Stimme: »Und wo ist eure Mami?«

»Einkaufen«, antwortete der Sohn mit Mitgefühl, »und du hockst hier und schaust fern.«

»Na und?« brüllte Demir seinen Sohn an. Und er dachte an die schöne, warme, weiche Frau, die ihm immer ins Ohr flüsterte: »Entspanne dich. Was möchtest du lieber? Musik hören oder fernsehen?« »Mit dir alles«, murmelte Demir dann verträumt. In der Ferne krachte erneut eine verfrühte Feuerwerksrakete. Demir legte seine Pfeife auf den Tisch und setzte sich wieder auf den Sessel vor dem Fernseher, ohne den Fernseher einzuschalten. Die Kinder im Nebenzimmer waren nun still, dennoch konnte Demir seine Gedanken nicht sammeln.

Dagmar ist allein, sagte er sich, und ich will nicht, daß sie den Silvesterabend alleine verbringt. Ich muß zu ihr. Ich finde schon irgendeine Ausrede für Sevim, und auf ihren Putenbraten pfeife ich. Nein, kein Putenbraten wird bei Dagmar auf mich warten, sondern eine Flasche Sekt, eiskalt, und ein Lächeln, warm. Sie wird mich gleich an der Wohnungstür mit zarten Umarmungen empfangen statt bitterer Vorwürfe, obwohl sie weiß, daß es so nicht weitergehen kann. Ich kann mich von Sevim nicht scheiden lassen. Nicht nur wegen der Kinder. Ich kann Sevim nicht im Stich lassen, ich kann ihr Leben nicht ruinieren. Das sieht Dagmar auch ein. Die Trennung wird für uns beide sehr schwer sein. Aber ich wüßte sonst keine Lösung.

*

»Gib mir doch den Autoschlüssel«, sagte Turgut zu seinem Vater, während er eifrig seinen Kaugummi kaute. »Ich werde mit meinen Kumpels zu einer Silvesterfete nach Freising fahren.« Er spielte mit dem Ohrring an seinem rechten Ohrläppchen.

Die alte Frau starrte mit erloschenen Adleraugen auf ihren Sohn und ihren Enkel, stumm wie immer.

»Hau doch endlich ab, Alte«, sagte Turgut auf Deutsch, weil er wußte, daß sie kein Wort Deutsch verstand. Ihre Lippen bewegten sich ununterbrochen.

»Sie betet für unsere Seelen«, grinste Turgut und wandte sich wieder seinem Vater zu: »Nur für eine Nacht, Mann, ich bringe den Wagen morgen früh zurück. Ich habe doch den Jungs versprochen, daß ich den Wagen von dir kriege. Wie schaue ich ihnen ins Gesicht, wenn ich mit leeren Händen vor ihnen stehe?«

»Tut mir leid, mein Junge, du hast die Rechnung ohne den Wirt gemacht«, antwortete Ismet seinem Sohn.

Ein kleiner, schmächtiger Mann, Mitte 40. Er stand vor dem Spiegel und kämmte sein spärliches Haar nach hinten, als ob er seine beginnende Glatze verdecken wollte. Dann steckte er den Kamm in die Hosentasche und ging ins Wohnzimmer. Turgut rannte ihm nach und versperrte den Eingang: »Was soll das, Mann, mit dem Wirt und der Rechnung?«

»Wir brauchen das Auto selber«, erklärte Ismet, »das ist alles. Deine Mutter und ich, wir fahren heute abend nach Starnberg. Da gibt's einen großen türkischen Silvesterball. Mit Bauchtanz und so.«

»Mann«, zischte Turgut durch die Zähne, »du bist doch reich genug, um dir ein Taxi zu leisten.«

»Das ist doch meine Sache«, zischte Ismet zurück, »es ist schließlich mein Geld, oder nicht?«

»Pfennigfuchser!« schrie Turgut seinen Vater an.

Und die alte Frau dachte: Sie schreien sich wieder an. Das sind Zeichen des Weltuntergangs. Wenn Kinder nicht mehr gehorchen und ihre Eltern sogar anschreien, werden vom Himmel Steine auf unsere Köpfe regnen. So steht es geschrieben, im Koran. Angstvoll zitterte sie mit dem ganzen Körper. Auch ihre Lippen zitterten beim stillen Gebet.

Doch weder Ismet noch Turgut nahmen sie zur Kenntnis und stritten weiter. Turgut stand mit geballten Fäusten vor seinem

Vater. Ismet betrachtete ihn von oben bis unten und dachte: Wie fremd ist er mir, mein eigener Sohn. Wie er aussieht mit dieser häßlichen Frisur und dem Ohrring. Das ist der schlechte Einfluß seiner deutschen Umgebung. Dieses Land hat uns entfremdet, es ist zwischen uns getreten, zwischen Eltern und Kinder.

»Was guckst du mich so blöd an«, fauchte Turgut, »gibst du mir den Scheißschlüssel oder nicht?«

»Wie redest du denn mit mir?« schrie Ismet und hob seine Hand, um ihn zu schlagen.

Gönül, die mit Haareindrehen beschäftigt war, ließ die Lockenwickler vor dem Spiegel liegen und eilte ins Wohnzimmer, um den Streit zwischen ihrem Mann und ihrem Sohn zu schlichten.

Da ging draußen ein Feuerwerkskörper wie ein Schuß los. Dann ein zweiter und ein dritter. Wie ein Kugelwechsel. Raketen stiegen in den Himmel, und ein prasselndes Feuer leuchtete auf, das schnell wieder erlosch. »Wie im Krieg«, wisperte die alte Frau mit kaum hörbarer Stimme, und Gönül tröstete sie: »So ist es jedes Jahr zu Silvester, Mutter. Warte ab, um Mitternacht geht die Schlacht erst richtig los.«

»Dieses Mal fangen sie mit der Schießerei aber besonders früh an«, bemerkte Ismet. Er stand noch da mit erhobener Hand, hatte aber fast vergessen, daß er seinen Sohn gerade noch schlagen wollte. Langsam nahm er sie runter, als er Gönüls zärtliche Stimme hörte: »Um Gottes willen, Ismet, laß das. Turgut ist kein Kind mehr, du sollst ihn nicht schlagen.«

Die alte Frau drehte sich enttäuscht um und ging aus dem Zimmer. Er sollte ihn schlagen, dachte sie, sie auch, diese Hure von Gönül. Beide. Er sollte ihnen zeigen, daß er der Sohn des Tischlers Salim ist. Wie viele Schläge mußte ich von meinem seligen Mann bekommen... Und es war auch richtig so. Ich war eine gehorsame und ehrbare Frau, und wir führten eine glückliche, harmonische Ehe. Er war ein Mann mit Charakter, mit Moral und Disziplin, während mein Sohn ein charakterloser Pantoffelheld ist.

»Nun«, räusperte sich Ismet, steckte die Hand in die Tasche und schaute sich unentschlossen um.

»Gib ihm doch den Autoschlüssel«, sagte Gönül, während sie die Lockenwickler wieder in die Hand nahm und sich im Spiegel betrachtete, die großen Poren auf der bräunlichen Haut ihres Gesichts. Dann rieb sie ihr Gesicht mit einer dicken, weißen Flüssigkeit ein. Das tat sie jeden Tag vor dem Makeup und war eigentlich sehr zufrieden mit dieser Gesichtsmaske, die ihr die Kosmetikerin empfohlen hatte. Ismet stand vor dem Fenster und schaute auf die Straße hinaus.

»Nein«, sagte Ismet plötzlich, »ich gebe ihm die Autoschlüssel nicht. So weit geht das wirklich nicht. Den Führerschein hat er erst seit ein paar Tagen. Was ist, wenn er mir einen Unfall baut? Außerdem brauchen wir das Auto selber. Oder willst du heute abend nicht zum Silvesterball?«

Ob Gönül was? Natürlich wollte sie zum Silvesterball, und wie. Nein, so weit ging das wirklich nicht. Mit Lockenwicklern auf dem Kopf und einem weiß angeschmierten Gesicht stand sie da, kniff ihre Lippen zusammen und überlegte, was sie sagen, was sie machen sollte. Und die alte Frau, die lautlos wieder hereingekommen war, schloß die Augen, als sie Gönül sah. Ein Schreckgespenst, dachte sie, das ist doch keine Frau.

Turgut aber starrte seine Mutter erwartungsvoll an, denn sie war seine letzte Hoffnung. Aber nein, diesmal hatte auch sie nichts bei Ismet erreicht.

»Du siehst doch, Liebling, Vati ist heute nicht weichzukriegen. Du mußt eine andere Lösung finden.«

Ein schneidender Wind war aufgekommen, der die regenschweren Wolken jedoch nicht verjagen konnte. Erste Regentropfen klatschten auf die Fensterscheiben.

»Die finde ich bestimmt, verlaßt euch drauf«, knurrte Turgut wütend, »steckt euch den Schlüssel samt eurem Mercedes in den Arsch.« Er spuckte auf den Teppich und raste ins Nebenzimmer, schlug die Tür hinter sich zu, lief ans Telefon und wählte eine Nummer. Vor Zorn schoß ihm das Blut ins Gesicht, seine Lippen zuckten, seine Hände zitterten.

»Ich bin's, Toni«, stellte er sich am Telefon vor. In seinem deutschen Freundeskreis nannte man ihn Toni, und er liebte diesen Namen. »Bist du's, Rolf? Du, hör mal, mein Alter gibt das Scheißauto nicht her.«

Auf leisen Sohlen war die alte Frau ins Zimmer gekommen und verfolgte Turgut mit den Augen, während er telefonierte. Sie lauschte, als ob sie das Gespräch in deutscher Sprache verstände.

»Ja, ja, wenn du meinst«, fuhr Turgut fort, »klar mache ich mit.

Okay, in einer halben Stunde. Treffen wir uns in unserer Stammkneipe? Alles klar, Junge, Du kannst mit mir rechnen. Also dann, bis gleich.«

Turgut legte den Hörer auf und drehte sich um. Da erst bemerkte er die alte Frau mit ihrem halboffenen, zahnlosen Mund. »Tschüs, Oma«, rief er auf Deutsch, spöttisch und respektlos wie immer, bevor er die Wohnung verließ und die Tür hinter sich zuschlug.

Nein, es regnete noch immer nicht stark. Doch der Wind heulte um die Hochhäuser in Perlach, und die Fensterläden klapperten unheimlich. Ein Krachen drang an die Ohren der alten Frau, doch sie wußte nicht, ob das Donner war oder wieder eine dieser Raketen.

»Die Katastrophe«, murmelte sie, die Gebetskette noch fester an die Brust drückend, »ich fühle sie nahen.«

*

Turgut saß auf seinem Moped und ließ den frischen Wind durch seine Haare gleiten. Er liebte dieses Gefühl, das für ihn mit Freiheit identisch war. Mit schrankenloser Freiheit. Er war stolz auf sein Moped. Es hatte ihn viel Zeit und Mühe gekostet, bis er seinen Vater überredet hatte, ihm dieses Fahrzeug zu kaufen. Nicht ich, dachte er lächelnd, die Mami hat den Alten rumgekriegt. Sie ist schon in Ordnung, die ist ein netter Kerl. Aber auch sie fällt mir manchmal auf den Wecker. Oh, Mann, ich hasse es, bei meinen Alten zu wohnen, obwohl ich schon achtzehn bin. Die deutschen Jungs, die haben's gut, echt. Sie hauen von ihren Alten ab, sobald sie achtzehn sind, wenn nicht früher. Ist doch irre. Ich könnte mir auch so 'ne Bude leisten wie der Rolf oder Micha. So viel verdiene ich schon. Aber nein. Jedesmal wenn ich darüber quatschen will, fällt mir Vati ins Wort. Wir sind Türken. Wir haben unsere Traditionen. Die Familie muß zusammenbleiben, bla bla bla. Ich pfeife auf eure Traditionen. Ich bin nicht in Anatolien aufgewachsen, sondern hier, in Deutschland. Von wegen, Familie...

Turgut mußte stark bremsen, als er merkte, daß die Ampel rot war. Er fuhr mit der Hand durch seinen starken Haarwuchs und betrachtete sich im Rückspiegel eines neben ihm haltenden Autos. Dann lächelte er vergnügt vor sich hin. Er gefiel sich. Die Frisur mit borstenartig geschnittenen Haaren, die in der Mitte leicht gelb und orange gefärbt waren, diese Frisur hatte ihn viel Nerven gekostet. Als er vom Friseur heimgekommen war, wäre Gönül fast in Ohnmacht gefallen.

»Turgut, mein Liebling, was hast du mit deinen schönen Haaren gemacht? Wenn dein Vater dich so sieht?«

»Na und? Ist doch der letzte Schrei.«

Dann war Ismet gekommen, hatte Turgut an den Haaren gepackt und seinen Kopf dreimal hintereinander an die Wand geschlagen.

Du bist nicht mehr mein Sohn.

Na und? Um so besser.

Die Autos hinter Turgut hupten schon. Die Ampel zeigte grün, und Turgut drückte auf das Gaspedal. Das Moped schoß knatternd davon, und Turgut genoß wieder jenes grenzenlose Freiheitsgefühl.

Das war damals ein guter Anlaß abzuhauen, erinnerte er sich, während er mit rasender Geschwindigkeit in eine Seitengasse einbog. Ich nahm nur meinen Paß und einige Klamotten mit und machte mich aus dem Staub. Ich ging direkt zu Rolf und tauchte bei ihm unter, bis sie mich fanden. Der Herr Papa kam höchstpersönlich in Rolfs Bude und flehte mich an. Du bist mein einziger Sohn, usw. Na ja, schließlich habe ich auch ein Herz. »Wäre ich aber damals nicht heimgekehrt, hätte ich nun das Leben, die Freiheit, die ich mir immer gewünscht habe.«

Turgut hielt kurz vor einer Telefonzelle und überlegte, ob er nicht doch noch zu Hause anrufen sollte. Vielleicht würde es jetzt Gönül gelingen, ihren Mann zu überreden, Turgut das Auto für heute Nacht zu überlassen. Auf die Silvesterparty in Freising hatte sich Turgut schon seit Wochen so gefreut. Um ehrlich zu sein, mehr auf das Autofahren und das Angeben mit dem Wagen als auf die Party. Mit dem Mercedes könnte ich mir 'ne dufte Biene angeln, dachte er und kratzte sich hinter dem Ohr. Dann spuckte er auf den Gehsteig und drückte wieder auf das Gaspedal.

In den bunten Schaufenstern lagen Schnee aus Watte und zarte Tannenzweige. Schon seit Wochen. Morgen aber würde man alles ausräumen. Tschüs, Silvester, hallo, Fasching.

Ab morgen kommt die Faschingdekoration in die Schaufenster, dachte Turgut, es ist immer was los. Nach Fasching kommen die

Ostereier, dann die Pfingstrosen, darauf folgt die Urlaubssaison und anschließend das Oktoberfest. Dann geht's wieder los auf der Wies'n. Vielleicht liebe ich dieses Land deshalb so sehr, weil immer was los ist, weil es immer voll von Farben und Leben ist. Ich liebe die Kaufhäuser, die Spielsalons, die Discos. Ich liebe das Leben hier, und mir geht's an die Nieren, wenn meine Alten über die Rückkehr sprechen, über die sogenannte endgültige Rückkehr. Aber ohne mich, das schwöre ich. Abgesehen davon, daß ich's nicht glaube, daß sie es schaffen, dieses Land endgültig zu verlassen. Schon seit Jahren spricht man im Hause von Herrn Dalaman von der endgültigen Rückkehr. Ich glaube, meine Alten hängen an diesem Land wie ich. Vater sagt aber, daß die Ausländerfeindlichkeit sich in letzter Zeit verschärft hat. Sieh dich doch um, sagt er, überall steht »Türken raus«. Aber ich fühle mich nicht angesprochen. Ich fühle mich ja nicht wie ein Türke, abgesehen davon, daß ich nicht einmal gescheit Türkisch kann, verdammt noch mal. Aber wenn ich's mir ernsthaft überlege, wie ein Deutscher fühle ich mich auch nicht. Meine deutschen Freunde mögen mich zwar, doch das hat Jahre gekostet. Und der Haß, das stimmt schon, vielleicht hat mein Alter doch recht, wenn er von Ausländerhaß spricht. Micha, der Chef der Rockerbande, hatte mich einmal hinter der Waikiki-Disco mit dem Taschenmesser, das in seiner Rechten funkelte, in die Enge getrieben. Wir beide schleuderten die schwarzen Lederjacken auf den Boden und stürzten uns aufeinander. Jetzt ist er mein bester Feund. Aus Feindschaft ist Freundschaft geworden. Mann, du bist in Ordnung, hatte er zu mir nach dieser Schlägerei gesagt, laß die Bullen aus dem Spiel und uns Freunde werden. Durch dick und dünn. Über Micha fand ich Anschluß an die anderen Jungs. Nun bin ich einer von ihnen, und sie nennen mich Toni. Sollen sie doch, Das ist ein schöner Name.

Turgut bremste, die Räder des Mopeds quietschten am Bürgersteig. Er stieg aus, schob sein rotes Halstuch zurecht, kämmte sich am Schaufenster des kleinen Lebensmittelgeschäftes neben seiner Stammkneipe, riß die Kneipentür auf und ging pfeifend hinein.

*

Die schlanke, blonde Frau stand am Fenster und starrte nachdenklich auf den mit künstlichen Kerzen beleuchteten Tannenbaum auf dem Forum an der Münchener Freiheit. Es war zwar noch früher Nachmittag, doch fast dunkel draußen, die Luft trübe, der Himmel bewölkt. Im schwachen Licht der elektrischen Kerzen glitzerte die nasse Leopoldstraße. Einige Autos fuhren vorbei, der Vorsilvesterverkehr hatte, nachdem die Geschäfte geschlossen waren, stark nachgelassen.

Jeder hat seine Feuerwerksraketen und seinen Truthahn schon gekauft. Jede Familie wird heute abend großartig feiern. Ich aber habe keine Familie, und nach Feiern ist mir nicht zumute, dachte sie und griff nach der Zigarettenschachtel.

Ich rauche in letzter Zeit zu viel, viel zu viel, stellte sie aber fest, ließ die Schachtel liegen und ging ins Bad. Sie wollte sich schminken, doch als sie ihr Gesicht im Spiegel sah, ließ sie auch die Puderdose vor dem Spiegel liegen.

»Viele Falten«, murmelte sie, »bestimmt ist sie viel jünger als ich, Demirs Frau. Ich habe sie nie gesehen und möchte sie auch nicht sehen. Nicht einmal ein Foto von ihr hat er mir gezeigt. Aber ich kann sie mir vorstellen, wie Demir sie mir einmal beschrieben hat: Anfang 30, klein und zart. Lange, glatte, schwarze Haare, die sie hochsteckt aber nie abschneiden läßt. Und dunkelbraune Augen. Demir sagt, sie sei nicht schön, habe einen gewöhnlichen Gesichtsausdruck, sie sei nicht intelligent, immer nervös und hysterisch. Aber das alles glaube ich nicht. Sie muß sehr hübsch sein und ein ausdrucksvolles Gesicht haben. Leidvolle Augen, wie jede Orientalin. Und sie hat Grund genug, nervös und hysterisch zu sein, da ihr Mann sie betrügt. Mit mir. Ich hasse mich so, ich ekele mich vor mir.«

Dagmar ging ins Wohnzimmer zurück und nahm doch eine Zigarette aus der Schachtel, zündete ein Streichholz an und betrachtete die kleine, blaue Flamme, ohne ihre Zigarette anzuzünden. Sie starrte auf die Flamme, bis sie kleiner wurde, erlosch, und das Streichholz ihren Finger verbrannte. Sie warf es in den Aschenbecher und zündete ein neues an. Gierig zog sie den Rauch der Zigarette ein und stellte das Radio an.

Nun hören Sie die beliebtesten Hits des Jahres, das uns in zehn Stunden verlassen wird... Mit einem Beitrag von der neuen deutschen Welle ist...

Die neue deutsche Welle... Das ist doch nichts Neues. Die Lieder sind wieder so romantisch wie damals in meiner Jugend. Meine Jugend, die ich nie richtig erlebt habe. Es war ja Nachkriegszeit, und wir hungerten. Mein Vater war nicht mehr da. Ob er im Krieg gefallen oder in russischer Gefangenschaft gestorben ist? Ich kann mich kaum an ihn erinnern. Er ist aus dem Krieg nicht zurückgekommen. Meine Mutter war krank. Ich mußte für sie sorgen. Ich mußte arbeiten. Statt Literatur zu studieren, besuchte ich Abendkurse für Maschinenschreiben und wurde Sekretärin. Bis ich es soweit gebracht hatte und Chefsekretärin bei der Baufirma Grohn geworden war, das alles hat mich Jahre gekostet, die nicht spurlos an mir vorübergegangen sind.

Leicht berührte Dagmar die Fältchen um ihre blauen Augen und blies den Rauch der Zigarette von sich. Noch eine vorzeitige Rakete verlor sich krachend im dunklen Himmel. Ihre Lichtspuren verwischten sich vor dem breiten Fenster der Dachterrassenwohnung. Dagmar ging im Morgenrock in ihrem Wohnzimmer auf und ab. Sie hatte keine Kraft, sich umzuziehen und zu schminken. Sie hörte die Schlager der neuen Welle, die sie an die alten Zeiten erinnerten und noch trauriger stimmten.

Ich hätte Gerd nie geheiratet, wenn ich nicht schwanger gewesen wäre, dachte sie schwermütig, denn geliebt habe ich ihn nie. Nur auf das Kind freute ich mich.

Das Kind... Bei dieser Erinnerung nahm ihr Gesicht einen schmerzlichen Ausdruck an.

Das Kind, das bei der Geburt starb. Die langen Jahre der kaputten Ehe mit Gerd. Dann die Scheidung, die neue Stelle bei der Firma, der neue Kollegenkreis, das neue Leben.

Ein neues Leben... Das begann erst nach ihrer Bekanntschaft mit Demir. »Ein junger Türke«, hatte ihr Chef gesagt, »ein anständiger, tüchtiger Bursche. Er hat bei uns als Straßenbauarbeiter angefangen, obwohl er Ingenieur ist. Na ja, damals fehlten ihm die Sprachkenntnisse. Nun hat der Bursche sich emporgearbeitet. Ich werde ihn demnächst als Vermessungsingenieur einstellen. Kümmern Sie sich ein bißchen um ihn, Frau Kraft, weisen Sie ihn ein.«

Gleich am nächsten Tag war er in ihrem Büro erschienen. Schüchtern und unsicher, als ob er immer noch nicht glauben konnte, daß sein Chef ihm nun eine Stellung geben wollte, die seiner Ausbildung entsprach.

»Ich heiße Sözeri. Störe ich? Soll ich später kommen?«
»Aber nein, treten Sie doch ein. Setzen Sie sich.«
So jung, wie Herr Dr. Grohn ihn beschrieben hatte, war er nicht. Mitte 30 hatte Dagmar geschätzt.
Zuerst war es die Stimme, die ihr an ihm gefiel. Zart, weich, mit leichtem ausländischen Akzent. Aber kein einziger Grammatikfehler.
»Wo haben Sie so gut Deutsch gelernt, Herr...«
»Sözeri. Ich habe die Abendkurse der Firma besucht. Dann habe ich allein weitergelernt.«
Sie entdeckte seine Augen. Unwiderstehlich fühlte sie sich davon angezogen. Sie saßen am gleichen Tisch, über Papiere gebeugt, die Demir für seine neue Arbeit einstudieren mußte. Dagmar bemerkte den von ihm ausgehenden angenehmen Tabak- und Seifengeruch, seine wohlklingende Stimme und seine großen Hände auf dem Schreibtisch, die nach Bleistiften griffen, auf den Papieren zeichneten, ihr dann eine Zigarette anzündeten. Er hatte ihr eine türkische Zigarette angeboten.
Noch eine Rakete, die Dagmar aus den Gedanken riß. Sie ging wieder zum Fenster und verfolgte mit den Augen die blau-grünen Funken in der trüben Luft. Der Regen war stärker geworden. Nur auf Glückwunschkarten sind Weihnachten und Silvester mit Schnee, dachte sie, schaltete das Radio aus und ging in die Küche, um sich einen Kaffee zu machen.
Soll ich den Silvesterabend mit ihm verbringen, ihn wieder seiner Familie wegnehmen? Nein, ich will nicht so egoistisch sein. Aber andererseits kann ich nicht noch einen Silvesterabend alleine verbringen. Ich würde auf verrückte Gedanken kommen, zum Beispiel eine Packung Schlaftabletten schlucken. Eine ganze, volle Packung.
Ich liebe ihn so. Er ist der einzige Mann, den ich je geliebt habe. Er ist alles, was ich habe. Er hat mir die Jugend zurückgegeben, die ich nie erlebt habe. Ich würde ihn sofort heiraten, wenn es nicht seine Familie gäbe. Ich will aber nicht, daß er meinetwegen seine Familie verläßt. Ich will keine Frau unglücklich machen, die ich nicht einmal kenne. Ich will keine Familie zerstören, auch wenn ich dabei selbst zugrunde gehe.
Dagmar goß den Kaffee in die Porzellantasse und führte sie an ihre Lippen. Wie bitter der Kaffee doch war.

So geht das nicht weiter. Das ist kein Zustand. Wir müssen eine Entscheidung treffen. Ich will nicht, daß er sich von seiner Familie trennt, nicht meinetwegen. Sonst würde ich mein ganzes Leben Gewissensbisse haben. Wegen Sevim und der Kinder. Auch dann wäre ich unglücklich. So oder so unglücklich... Unglücklich. Noch eine Rakete zischte an ihrem Fenster vorbei, und Dagmar dachte: Die Würfel müssen heute nacht fallen.

*

Gönül streichelte den Ärmel ihres Pelzmantels und drückte auf den Knopf des Autoradios. Mit dem letzten Gongschlag war es 16 Uhr. Nachrichten vom Bayerischen Rundfunk. Gönül schaltete das Radio aus und legte eine Cassette ein. Aus den riesigen Boxen im hinteren Teil des Mercedes stieg eine Melodie herauf, die das Blut in Gönüls Adern schneller kreisen ließ. Es war eine heiße Bauchtanzmelodie, eine Melodie aus ihrer Heimatstadt, aus ihrer frühen Jugend:

Adana'nin yollari tastan, sen çikardin beni beni bastan. Die Gassen von Adana sind steinig...

Fröhlich sang Gönül den Text mit. Sie freute sich auf den Silvesterball.

»Mach die Musik ein bißchen leise«, bat Ismet sie, der am Steuer saß und den Zündschlüssel drehte, »muß die ganze Welt erfahren, daß Türken unterwegs sind? Unser Auto fällt ohnehin auf mit all dem Zeug, das daran herumhängt. Hufeisen, blaue Steinaugen, die vor bösen Blicken schützen sollen, Türkei-Aufkleber, türkische Fähnlein, alles, was uns als Ausländer verrät. Ich habe solche Angst davor, daß einer von denen, die ›Türken raus‹ schreiben, das Auto demoliert. So was kann ja passieren. Ja, so was kann leicht passieren, Frau.«

»Du sollst nicht immer unken«, zwitscherte Gönül und streichelte die grauen Haare ihres Mannes.

Ismet runzelte die Stirn: »Nicht vor dem Mädchen.«

»Mädchen«, hieß sie bloß, die sechzehnjährige Tochter von Gönül und Ismet. Turgut hin, Turgut her, ob Turgut zum Abendessen kommt, ob Turgut in Urlaub mitfährt, ob Turgut... Ein lebendiger Mythos war Turgut für die Familie Dalaman, während Tülin, »das Mädchen«, das fünfte Rad am Wagen war.

Das Mädchen saß auf dem Rücksitz, kaute nervös an den Fingernägeln und sah gelangweilt aus dem Fenster. Gönül drehte sich zu ihrer Tochter um und befahl mit kalter Stimme: »Nun, lach doch ein bißchen, mach nicht so ein Gesicht wie drei Tage Regenwetter. Wenn man dich sieht, könnte man glauben, du fährst zu einer Beerdigung. Du fährst zu einem Silvesterball, Mädchen.«

»Ich mag aber nicht mitkommen«, sagte Tülin leise, »ihr wißt doch, daß ich viel lieber mit meinen Klassenkameraden Silvester feiern würde.«

»So so«, murmelte Ismet, »wir sind offenbar nicht gut genug für die junge Dame. Silvesterfeier mit Klassenkameraden, mit deutschen Jugendlichen. Das ist unerhört. Und am nächsten Tag kommst du mir schwanger nach Hause, und meine Ehre, mein Ansehen sind ruiniert. Wie kann ich dann meinen Landsleuten ins Gesicht schauen?«

»Aber Turgut darf alles«, erwiderte Tülin, ihre Stimme zitterte.

»Turgut ist ein Junge«, warf ihre Mutter ein, »steck das ein für alle Mal in deinen blöden Kopf. Turgut ist ein Junge, und du bist ein Mädchen.«

»Was ist denn schon dabei, mit Deutschen Silvester zu feiern?« schluchzte Tülin, »ich benehme mich ja anständig.«

»Du vielleicht schon«, antwortete ihr Vater, »aber schlechte Gesellschaft verdirbt gute Sitten.«

Tülin wußte, daß es keinen Sinn hatte, die Diskussion zu verlängern.

»Wir hätten dich auch zu Hause lassen können«, fuhr Ismet fort, »bei deiner Oma. Die arme alte Frau ist ja allein. Aber nein, wir sind verständnisvolle Eltern und nehmen unsere Tochter zum Silvesterball mit.«

»Verständnisvoll«, wiederholte Tülin höhnisch.

Ismet hatte die Scheibenwischer in Bewegung gesetzt. Der Regen rann über die Fensterscheiben, und draußen sah alles verschwommen aus, die Autobahn, die Wälder, alles wie verwischt.

»Meinst du, daß sie sich langweilt?« fragte Ismet seine Frau, »meine Mutter zu Hause. Es war schon unhöflich von uns, sie alleine zu lassen.«

»Ach was«, winkte Gönül ab, »wir haben ihr ja vorgeschlagen mitzukommen. Aber ein Silvesterball ist eine Sünde für sie. Und in ihren Augen sind wir alle Sünder«, lachte Gönül schallend auf.

»Na ja«, lachte Ismet mit und bog nach links ab. In der Kleinstadt abseits der Autobahn war es etwas heller, hinter dem Regenschleier erkannte man die Lichter von Silvesterbeleuchtung. Ismet fuhr die Hauptstraße entlang und hielt vor dem festlich geschmückten Ballhaus an.

»Wir sind früh dran«, bemerkte er, »es ist erst fünf Uhr. Schauen wir zuerst bei den Erdeners vorbei und holen sie zum Ball ab?«

Gönül nickte fröhlich, während sie den Cassettenrecorder ausschaltete. Oh je, dachte Tülin, deshalb mußte ich also unbedingt mitkommen und von Mutter geschminkt und geschmückt werden. Mit all diesem Goldbehang komme ich mir vor wie das Schaufenster eines Juwelierladens. Die Erdeners und ihr Herr Sohn. Meine Eltern wollen mich loswerden, mich verheiraten, mich aus der Hand geben wie eine unerwünschte Ware, wie einen Ladenhüter. Aber recht haben sie auch. Ich bin dick und häßlich. Am meisten hasse ich meine starken Hüften und meine Pickel. Dennoch bin ich eine gute Partie für den Sohn des Herrn Erdener. Er will ja nicht mich, sondern das Geld meines Vaters heiraten. Nachdem Vater eingesehen hat, daß der eigene Sohn ein Taugenichts ist, braucht er einen tüchtigen Burschen, der seine Firma später leitet. Damit das Geld in der Familie bleibt, soll der künftige Schwiegersohn diese Aufgabe übernehmen, warum nicht? Ha, ha. Und der junge Erdener ist ja für diese Aufgabe wie geschaffen, das wohlerzogene Muttersöhnchen mit dem häßlichen Schnurrbart. Wie der mich anödet! Ich darf nicht mit deutschen Klassenkameraden ausgehen, aber dem jungen Erdener würden sie mich mit eigenen Händen ins Bett liefern. Natürlich nicht so, nicht so einfach. Erst muß die Hochzeit sein. Geld spielt ja bei Vati keine Rolle. Ein Wirtshaus in Grünwald wird er für meine Hochzeit mieten und alle seine türkischen und deutschen Geschäftsfreunde einladen. Ich kann mir schon die Hochzeitstorte vorstellen. Zehnstöckig, in Schlagsahne und Schokoladencreme schwimmend. Oh, wie ich das alles hasse. Ich hasse alles, ich hasse das Leben. Nein, nicht mein deutsches Leben. Die Schule, die Lehrer, die Schulkameraden, das ist eine Welt, die ich liebe, in der ich mich zu Hause fühle. Da habe ich mich durchgesetzt. Die dicke, häßliche Ausländerin mit den vielen Pickeln, die am Anfang so gehänselt wurde und eine einsame Außenseiterin war, ist nun die Klassenbeste und die Klassensprecherin. Sie haben mich akzeptiert, wie ich bin, und wir verstehen uns auch, meine deutschen Klassenkameraden und ich. Mein Deutschland... Es ist eine ganz andere Welt als bei meinen Eltern, in der ich nicht ›das Mädchen‹ heiße, sondern Tülin.

»Was für eine Überraschung!« kreischte Frau Erdener, während sie Gönül umarmte, »tretet ein. Trinken wir Tee zusammen, wir haben noch genug Zeit bis zum Silvesterball. Übrigens, habt ihr schon gehört? Heute abend tanzt die Banu Serap, überall hängen Plakate von ihr, halbnackte Fotos, es wird ein toller Silvesterabend.«

»Ein toller Silvesterabend«, wiederholte Tülin gleichgültig und betrat mürrisch die Wohnung der Erdeners.

*

Häufiger als am Nachmittag zischten nun Raketen in den Himmel.

Sevim stand völlig verschwitzt vor dem Backofen, der Truthahn duftete schon, die Kinder waren ungeduldig.

»Laß mich doch mal probieren«, bettelte Levent, ihr Sohn, »nur ein kleines Stückchen.«

»Nein«, schrie Sevim, »den schneiden wir erst an, wenn euer Vater da ist.«

»Vielleicht kommt er gar nicht heim.«

»Er ist aber heute mittag dagewesen, sagtest du.«

»Ja, Mami.«

»Sag nicht immer ›Mami‹ zu mir, sag doch mal ›anne‹, auf Türkisch heißt es doch ›anne‹, um Gottes willen, mein Sohn, sag doch einmal, ein einziges Mal ›anne‹ zu mir und rede türkisch mit mir.«

»Du weißt, daß ich's nicht gut kann.«

»Versuch's wenigstens.«

»Also gut. Er war heute mittag hier.«

»Was hat er gemacht?«

»Ferngeschaut und an uns herumgemeckert.«

»Typisch mein Mann. Und dann? Hat er gesagt, daß er heute abend heimkommen wird?«

»Er hat nichts gesagt. Er hat ferngeschaut, Pfeife geraucht und ist wieder gegangen.«

Sevim wusch sich das Gesicht mit kaltem Wasser. Kopfschmerzen quälten sie. Der Regen hatte aufgehört. Die nassen Straßen waren leer, als ob die Menschen sich versteckt hätten wie vor einem Bombenangriff. Und die ersten Bomben fielen ja schon mit Flammenspuren vom Himmel.

»Mein Gott, ich werde verrückt«, schrie Sevim längst fertig. Ob der Truthahn knusprig genug war, heiß und scharf gewürzt, genau nach seinem Geschmack?

Für heute abend hatte Sevim sich und die Kinder hübsch gemacht. Die festliche Stimmung war da, nur der Mann nicht.

»Komm, Mutti, laß uns fernsehen«, rief die große Tochter Lale aus dem Nebenzimmer, »es gibt ein gutes Programm heute abend.«

»Ja, ja«, antwortete Sevim wie im Traum und lief in der Küche auf und ab. Wenn er jetzt nicht kommt, wird der Truthahn kalt, und er wird ihm nicht mehr schmecken. Nicht mehr...

Sevim wischte ihre Tränen mit dem Ärmel ihres Festkleides ab. Nein, nicht weinen. Ich muß heute abend gepflegt ausschauen. Und ich werde ihm keine Vorwürfe machen, ich werde nicht hysterisch sein, wenn er kommt, falls er kommt. Ich werde ihn umarmen. Ich werde ihn bedienen... Er ist ja mein Mann, der Vater meiner Kinder. Ich werde ihm alles vergeben, ich werde alles tun, um meine Ehe zu retten.

Erst nach einigen Sekunden nahm sie das schrille Klingeln des Telefons wahr, weil sie so in Gedanken versunken war. Sie sprang auf und griff nach dem Hörer.

»Ja, Hallo?« rief sie aufgeregt, »wer ist am Apparat?«

»Warum bist du so durcheinander?« lachte Demirs weiche Stimme am anderen Ende des Drahtes, »ich bin's doch, dein Mann.«

»Ja, ja. Wo bist du, wo steckst du? Kommst du heute abend heim?«

Unruhig spielte sie mit dem Spitzenkragen ihres Kleides.

»Ich bin hier in der Bospuruskneipe, ich habe einige türkische Kollegen vom Betrieb getroffen.«

»Ach so«, flüsterte Sevim enttäuscht, »und der Truthahn?« schrie sie dann nervös, ihr ganzer Körper zitterte, als hätte sie hohes Fieber.

»Den kannst du für morgen aufheben«, antwortete Demir ruhig, »macht euch einen gemütlichen Abend, schaut doch fern, es gibt ein tolles Programm. Bring die Kinder früh ins Bett und geh du auch früh schlafen. Warte nicht auf mich. Bei mir wird's sicher sehr spät.«

»Sicher«, wiederholte Sevim wie ein Automat. Ihr war's, als flösse kein Blut mehr durch ihre Adern.

»Also, schönen Abend noch«, hörte sie Demirs Stimme aus undenklichen Fernen. Dann legte sie den Hörer auf. Sie wußte, daß Demir wieder gelogen hatte. Im Hintergrund war keine türkische Kneipenmusik, sondern nur eine leichte deutsche Melodie zu hören gewesen. Sevim machte die Augen zu und versuchte, sich Dagmar und ihre Wohnung vorzustellen. Eine große, schlanke, blonde Frau mit blauen Augen. Ein geschmackvoll eingerichtetes Zimmer mit Kamin oder Kachelofen. Dunkelrotes Licht aus einer Stehlampe in der Ecke. Und, und – »Nein!« schrie sie und biß sich auf die Lippen.

Die Kinder müssen ja nicht alles erfahren. Wenigstens müssen die Kinder einen schönen Silvesterabend haben.

Wie durch einen Zauberschlag war der Schmerz aus ihrer Seele gewichen. Ganz plötzlich. Demir hatte etwas in ihr getötet. Wie eine Leiche sah sie aus, kreideweiß und leblos. Und ohne Schmerzen. Völlig apathisch.

Mit automatenhaften Bewegungen holte sie den Truthahn aus dem Backofen, brachte ihn auf den Tisch und rief die Kinder: »Levent, Lale, Nesrin, kommt zum Essen.«

»Hat vorhin Vati angerufen?« fragte Lale.

Sevim nickte: »Ja, er hat eine wichtige Besprechung in der Firma, er wird etwas später kommen. Wir sollen nicht auf ihn warten.« »Na, endlich können wir den Truthahn essen!« rief Levent.

Die Kinder hatten sich so an Demirs Abwesenheit gewöhnt, daß es sie nicht mehr störte, wenn er abends nicht nach Hause kam, auch nicht am Silvesterabend.

»Laß den Fernseher an«, bat Lale, »es gibt wirklich ein tolles Programm heute abend. Gleich kommt die weiß-blaue Hitparade.«

Noch häufiger als am Nachmittag erhellten jetzt rote und blaue Flammen den Himmel, im Hintergrund ein angsteinflößendes Gezische und Gekrache.

Vorboten des Bombenangriffs, dachte Sevim schaudernd, während der Ansager auf dem Bildschirm lächelte: Es ist 19 Uhr, noch fünf Stunden bis Mitternacht. Nun unterbrechen wir unsere

Unterhaltungssendung für die aktuellen Nachrichten der Abendschau.

*

»Hört ihr die Kirchenglocken?« fragte Norbert verstimmt, »es ist sieben Uhr, in einer Stunde steigt die Fete in Freising, und wir hocken hier noch rum, weil wir das Auto des Herrn Papa nicht kriegen konnten«.

Sie saßen noch in ihrer Stammkneipe mit finsteren Gesichtern und kippten ein Bier nach dem anderen.

»Es ist bestimmt keine Gefahr dabei, das versichere ich euch«, wiederholte Norbert zum xten Mal, »ist doch 'ne easy Sache. Ich kenne den Architekten, er ist unser Nachbar. Wenn ich euch sage, der Mann ist für einige Tage verreist, und sein Auto steht in der Garage, zu der ich einen Schlüssel habe, warum glaubt ihr mir nicht?«

»Glauben tun wir schon«, murmelte Turgut, »aber das ist doch 'ne heiße Sache, Autoknacken. Ohne mich, Jungs. Es gibt schließlich auch andere Möglichkeiten, nach Freising zu kommen?«

»Wie denn?« fauchte Norbert.

»Na, mit der Bahn zum Beispiel«, antwortete Turgut.

»Sei kein Idiot, Mann, kein Aas fährt am Silvesterabend nach sieben noch mit dem Zug, ist alles tot, der ganze Zugverkehr, alles. Die haben doch auch ein Recht zu feiern, oder etwa nicht?«

»Logo«, bestätigte ihn Micha.

»Ich weiß nicht«, flüsterte Turgut. Mit Norbert hatte er sich nie so verstanden wie mit den anderen. Norbert war ihm von Anfang unsympathisch gewesen, weil er Turgut nie vergessen ließ, daß er Türke ist.

Einmal, als Turgut seine Schwester Tülin in einer Discothek mit deutschen Jungs erwischt und brutal geschlagen hatte, hatte Norbert ihn am Kragen gepackt und ihm ins Gesicht geschrien: »Kanake. Wie reimt sich das zusammen, he? Du kleidest dich wie wir, du lebst wie wir, aber du hast eine andere Logik, was die Weiber betrifft. Mit deutschen Mädchen schlafen, okay, aber wenn deine Schwester mit deutschen Jungs tanzt, dann ist der Teufel los. Ändere dich, Junge, ändere dich, wenn du dich wirklich anpassen willst.«

»Woran denkst du«, fragte Micha Turgut, als er dem Kellner winkte.
»Ich weiß nicht«, wiederholte Turgut, »ihr vergeßt, Jungs, daß ich auf dem Papier immer noch Ausländer bin. Wenn die Bullen uns erwischen, dann sitze ich in der Tinte, nicht ihr. Sie können mich ausweisen, Mann.«
»'nen Scheißdreck können sie«, warf Rolf ein, »ich habe Nullbock, weiterzudiskutieren. Wenn Norbert meint, daß die Sache laufen wird, dann läuft sie eben. Ich finde die Idee super, den Karren des verreisten Architekten für eine Nacht zu borgen. Los, Toni boy, sei nicht crazy, du willst doch mit zu dieser Fete.«
»Klar«, erwiderte Turgut.
»Also, pack ma's«, sagte Sepp, der der Diskussion bisher stumm zugehört hatte. »Bei dem Gedanken, ein Auto zu knacken, fühle ich mich auch nicht gerade happy, aber was sein muß, muß sein.«
»Ich weiß nicht recht«, stotterte Turgut.
»Hast du mir heute mittag am Telefon nicht gesagt, du würdest alles mitmachen?« versuchte Rolf ihn festzulegen.
»Aber ich hab doch nicht gewußt, daß ihr ein Auto knacken wollt«, schrie Turgut.
»Nicht so laut«, flüsterte Norbert. Und Micha, der schon für alle bezahlt hatte, befahl: »Trinkt das Gesöff aus, und wir machen uns auf die Socken. Auf, auf zum fröhlichen Autoknacken. Mann, ist das nicht spannend? Kein Schwein wird uns bei der Fete in Freising die Story glauben.«
Als sie ihre Stammkneipe verließen, legte Micha seinen Arm auf Turguts Schulter: »Erinnerst du dich nicht?«
»Woran?«
»Als wir uns befreundet hatten, ich meine nach dieser Schlägerei hinter der Waikiki-Disco. Hatten wir uns nicht versprochen: durch dick und dünn?«
»Durch dick und dünn«, nickte Turgut und versuchte zu lächeln. »Siehst du?« rief Micha, »so gefällst du mir wieder, Junge.«
Ein eiskalter Wind fegte durch die leeren Straßen und Gassen. Es regnete nicht mehr. In der grellen Silvesterbeleuchtung wirkten die Sterne wie erloschen, und der Mond hatte sich hinter den Wolken versteckt.

*

Auf der Bühne spielte ein türkisches Orchester, als Gönül tänzelnd und mit den Fingern schnalzend in den Festsaal ging. Ismet nahm ihren Pelz ab und gab ihn an der Garderobe ab. Alle Tische waren voll, hier und da bekannte Gesichter. Gönül drehte sich lächelnd in alle Richtungen, grüßte unaufhörlich, ihre blonden Locken zurechtschiebend und ihre Hüften wiegend. Sie war so glücklich, daß sie heute abend hier war. Die letzten Monate zu Hause mit ihrer alten, kranken Schwiegermutter hatten ihr gereicht. Diese Abwechslung hatte sie sich so gewünscht. Nun war sie endlich hier, konnte ihr teures und hübsches Kleid mit dem kostbaren Schmuck präsentieren, und auch ihr herzhaftes Lachen.

Der Festsaal war mit rot-weißen Nelken und Luftballons geschmückt. Kellner liefen überfordert hin und her und servierten türkische Spezialitäten auf riesigen Tabletts.

»Wo ist unser Tisch?« flötete Gönül, »Ismet, hast du keinen Tisch bestellt?«

»Doch, doch. Da in der Ecke. Gönül, sag dem Mädchen was, sie soll nicht so finster dreinschauen und wenigstens ein bißchen lächeln.«

Gönül und Frau Erdener setzten sich nebeneinander, während Herr Erdener dem Kellner winkte. Ismet fragte: »Was gedenken die Damen zu trinken?«

»Raki, natürlich, Anisschnaps wie ihr. Wir sind doch schließlich emanzipierte Frauen. Wir sind in Deutschland!« rief Gönül.

In Deutschland sein... War das nicht ihr größter Traum gewesen, als sie damals in Adana gelebt hatte, als die junge, kleine, dicke, häßliche Baumwollpflückerin mit weißem Kopftuch. Hatte sie nicht nach Freiheit und Reichtum und auch nach Schönheit gedürstet? Mit Geld kann man alles kaufen, auch Schönheit, hatte sie immer gedacht, als sie ein Auge auf den jungen Ismet geworfen hatte, den Sohn des Tischlers Salim. Denn das Gerücht war aufgetaucht, Ismet ginge als Gastarbeiter nach Deutschland.

Bevor er nach Deutschland geht, muß ich ihn haben, hatte sie sich in den Kopf gesetzt, bevor er dort andere Frauen sieht, schöne, blonde Frauen.

Ismet und Gönül kannten sich von Kindesbeinen an. Sie waren zusammen zur Grundschule gegangen. Gönül hatte seine Annäherungsversuche jedoch immer naserümpfend abgelehnt, weil er das Kind armer Eltern war wie sie selbst. Nun aber sah die Sache für sie ganz anders aus.

Wenn er nach Deutschland geht, wird er reich. In Deutschland wird man reich, da liegt das Geld auf der Straße, hatte sie gedacht, in Deutschland leben... Ich muß diesen Traum verwirklichen.

Sie gab zu, daß die erste Zeit in Deutschland eine Enttäuschung für sie gewesen war, als Ismet in der Möbelfabrik arbeitete und sie als Putzfrau in derselben Fabrik. Ihr wurde schlecht, wenn sie sich an diese Zeit erinnerte. Den Dreck anderer Leute wegputzen war schlimmer als Baumwolle pflücken. Wie oft hatte sie sich in den Waschräumen der Fabrik übergeben. Damals war sie mit Turgut schwanger gewesen. Gott aber gibt's den Seinen im Schlaf, nachdem er sie mit Qualen geprüft hat. Vom Möbelfabrikarbeiter zum Leiter und Teilhaber einer türkischen Speditionsfirma. Nein, Gönül hatte sich in Ismet nicht getäuscht. Er hatte es im Leben wirklich zu etwas gebracht, Ismet war ein erfolgreicher Mann.

Nach kurzer Zeit waren sie aus der Bruchbude am Hasenbergl ausgezogen. Die neue Wohnung in Schwabing war recht komfortabel, doch Gönül träumte von mehr, von Hochhäusern mit Dachterrassen und Schwimmbad.

Als sie in der Herzogstraße wohnten, arbeitete Gönül noch, doch nicht mehr als Putzfrau. Sie trug auch das Kopftuch nicht mehr und versuchte, Ismet zu überreden, ihre Haare blond färben zu dürfen. Die Jahre in der Herzogstraße... Turgut ging schon zur Schule, sprach perfekt Deutsch, und das Mädchen lernte im Kindergarten auch Deutsch. Deutsch sprechen... Das war für Gönül sehr wichtig, weil sie dachte, daß die Sprache die Eintrittskarte in die deutsche Gesellschaft, in die deutsche Lebensweise war.

Allmählich gingen alle Träume in Erfüllung. Als das Mädchen die Schultüte in der Hand hielt, war die Familie Dalaman schon nach Perlach gezogen. Die Jahre vergingen so schnell, daß Gönül ihre eigenen Verwandlungen kaum recht verfolgen konnte. Mit dem Geld kam auch die Schönheit nach langen Stunden in Kosmetiksalons, unter Trockenhauben des Friseursalons. So blond wie möglich, so hell wie Platin. Sich in diese Gesellschaft richtig eingliedern, ein Teil von ihr sein. Deutsche Bekannte haben, sich wie eine Deutsche benehmen, wie eine Deutsche leben. Die Emanzipation... Und Ismet? Hatte er sich auch verändert? Kaum. Nur... Nachdem sie reich geworden waren, hatte er eine schlechte Gewohnheit angenommen. Er war ein leidenschaftlicher Spieler geworden. Er gewann zwar oft, aber verlor auch, und das Geld, das Ismet an der Spielbank verlor, tat Gönül in der Seele weh.

Wir wären noch reicher, dachte sie, wenn er sein Geld nicht verspielen würde, das Strandhaus in Mersin wäre schon abbezahlt. Doch sie versuchte, diese Angewohnheit ihres Mannes stillschweigend hinzunehmen, weil sie jeden Streit vermeiden wollte. Denn nur dadurch konnte sie bekommen, was sie wollte, den Pelz, den teuren Schmuck, das Geld, um die Kosmetikerin zu bezahlen.

Doch, das Leben hier gefiel ihr gut, und nur ihrem Mann zuliebe spielte sie mit, wenn er von der endgültigen Rückkehr sprach, obwohl die wachsende Ausländerfeindlichkeit auch ihr Angst machte. Nun ja, dachte sie, wenn es wirklich schlimmer werden sollte, kehren wir eben zurück. Es ist ja nicht mehr wie früher. Wir haben ein prächtiges Strandhaus mit einem riesigen Obstgarten und das Auto.

Dennoch betrübte sie der Gedanke an die Rückkehr, wenn sie an ihre Kinder dachte. Das Mädchen nehmen wir natürlich mit, überlegte sie, aber mein Turgut wird bestimmt hier bleiben wollen. Ich werde mich von meinem Sohn trennen müssen. Und ihr Herz krampfte sich zusammen.

»Frau Gönül, was ist mit Ihnen?« fragte Herr Erdener, als er ihr Glas mit Anisschnaps füllte, »fühlen Sie sich nicht wohl?«

»Ach, nichts besonderes«, lachte Gönül laut und drehte ihren Kopf zum Orchester, das mit Lauten, Schellen und Pauken aufspielte. Die Türken feierten ihr fünfundzwanzigjähriges Leben in der Fremde, lachend, ausgelassen tanzend und singend. Frauen mit und ohne Kopftücher, die goldenen Armbänder klirrend; schwarzhaarige Männer mit dunklen Anzügen und grellen Krawatten, nach Anisschnaps riechend; die Kinder auf der Tanzfläche fröhlich schreiend. Sie übertönten fast den Sänger, den berühmten, beliebten Ibrahim Taner, der aus vollem Halse von hoffnungsloser Liebe sang. Das Publikum schlug den Takt und sang die Verse der Lieder begeistert mit: Esmerim biçim biçim, ölürüm esmer için...

Helga, die deutsche Ehefrau des Metin Akad, einem Arbeitskollegen von Herrn Erdener, bedeckte ihre Ohren mit beiden Händen. In ihrer zehnjährigen Ehe mit Metin hatte sie sich an vieles gewöhnen können, nicht aber an diese Musik. Da der Sänger so traurig klang, dachte sie immer, daß er Bauch- oder Zahnweh habe. Seine Lieder sagten ihr nichts, weil sie auch die Texte nicht verstand. Ihre Türkischkenntnisse reichten nur für das Grüßen und Danken, mehr brauchte sie nicht, weil ja Metin Deutsch konnte.

Alem bana hayrandir, esmer sevdigim için... Der ganze Saal sang den Refrain mit. Ein Kellner kratzte sich hinter dem Ohr und rief in die Küche: »Noch einmal gefüllte Auberginen mit Hirtensalat!« Ein anderer kam mit einem vollen Tablett an den Tisch der Dalamans und Erdeners, sein Gesicht glänzte schweißgebadet.

Der Sänger war mit seinem Lied fertig. Er verbeugte sich vor dem Beifall klatschenden Publikum. Dann kam der Ansager auf die Bühne, küßte den Sänger auf die Wangen und überreichte ihm einen Blumenstrauß. An einem der hinteren Tische weinte ein kleines Kind. Draußen schlug eine Kirchenglocke. Das Publikum starrte erwartungsvoll auf die Bühne.

»Es ist neun Uhr«, meldete der Ansager im Smoking, »noch drei Stunden bis Mitternacht. Mit großer Freude darf ich Ihnen eine Berühmtheit vorstellen, die aus der Türkei zu uns gereist ist, um heute abend bei Ihnen zu sein und für Sie zu tanzen, ja, meine Damen und Herren, der Stern der Sterne, die größte Bauchtänzerin des Nahen Orients, Banu Serap!«

Das Publikum klatschte stürmisch, während das Orchester mit Lauten, Pauken, Zithern und Nejs eine feurige Melodie durch den Saal schwingen ließ. Alle Augen starrten auf die Bühne, als die halbnackte Frau mit langen, schwarzen Haaren aus dem Halbdunkel heraustrat und mit flinken Bewegungen zu tanzen begann. Harmonisch wiegte sie ihre schlanken, mit einem dünnen Schleier bedeckten Hüften, wiegte den nackten Busen, ließ den Körper im Rhythmus der Musik beben, drehte sich mit koketten Bewegungen barfuß auf der Bühne.

Aus allen Richtungen des Festsaales kamen Bravo-Rufe. Männer, Frauen und Kinder, alle waren aufgestanden, um die Tänzerin besser zu sehen.

Gönüls Blut geriet in Wallung. An mir ist eine Bauchtänzerin verlorengegangen, dachte sie wehmütig. Wenn Ismet mich nicht geheiratet hätte, wäre ich sicher von zu Hause abgehauen und hätte meine Karriere in Adana als Bardame angefangen, bis mich ein Manager entdeckt hätte. Sicherlich hätte ich's dann bis Istanbul, bis zur Filmschauspielerin gebracht.

Und die Klänge aus den steinigen Gassen von Adana: Hey Güllü, hele hele... sen çikardin beni beni bastan. Rosenmädchen, du hast mir den Kopf verdreht...

Gönül klatschte, bis ihr die Handflächen weh taten, als Banu Serap sich vor dem Publikum verbeugte: »Meine sehr verehrten Damen und Herren, ihr Fremdlinge in der Fremde, die ihr für die Heimat arbeitet und uns Devisen bringt, ich habe euch Grüße aus der Heimat gebracht.«

Gönül merkte, wie Frau Erdener neben ihr und die Frau Ünlüsoy am Nebentisch sich die Tränen abwischten. Der angetrunkene Ismet hatte seinen Arm um Gönüls Schultern gelegt und flüsterte ihr ins Ohr: »Rosenmädchen, du hast mir den Kopf verdreht.« Sein Atem roch nach Zwiebeln und Anis. Gönül setzte sich wieder und suchte nach Zigaretten in ihrer Handtasche.

*

»Wir müssen eine Entscheidung treffen«, flüsterte die schöne, warme, weiche Frau auf dem Sofa. Dunkelrotes Licht breitete sich von der Stehlampe über das Wohnzimmer aus und färbte alles tiefrot, auch Dagmars Gesicht mit den hochsitzenden Wangenknochen und ihren blonden Haaren, die Demir oft mit einem Netz verglich, in dem sein Herz gefangen war. Wie in einem orientalischen Lied oder in einem osmanischen Gedicht, das Demir auf dem Gymnasium im Literaturunterricht gelernt hatte: Perisan saçlarin askimin agidir... Wie ging der Reim weiter? War das Gedicht nicht von Baki? Oder von Fuzuli? Doch, Fuzuli, 16. Jahrhundert, höfische Poesie. Quatsch. Ein Kneipenlied war es gewesen, das der gelähmte Pianist Murat in der Kleinstadtkneipe Nacht für Nacht spielte. Das war vor seiner Ehe, vor Sevim. Damals studierte er an der Fachhochschule.

»Woran denkst du?« fragte ihn Dagmar. »Reichst du mir, bitte, das Sektglas?«

Das Krachen draußen war nun noch lauter. Ein rotblaues Feuer stieg in den Himmel.

»Ist es schon soweit?« fragte Dagmar. »Ist es schon Mitternacht? Sind wir alle ein Jahr älter?«

»Ach was«, lachte Demir, »es ist erst zehn Uhr. Noch zwei Stunden bis zum neuen Jahr.«

»Meinetwegen«, flüsterte Dagmar und streichelte Demirs schwarze Locken, »nun sag mir endlich, woran du denkst.«

»Woran ich denke? Woran denkst du, Dagmar? Du sprachst vorhin von einer Entscheidung, nicht ich.«

»Allerdings«, antwortete Dagmar und richtete sich auf dem Sofa auf, das Sektglas in der Hand.

»Was erwartest du von mir?« wollte Demir wissen. »Ich bin genauso verzweifelt wie du. Ich war nie verliebt in sie, aber sie war meine Frau, bevor ich dir begegnete. Und du warst keine Frau, sondern eine Göttin, die Chefsekretärin im schicken Kostüm, groß, schlank und blond...«

»Sie ist immer noch deine Frau«, entgegnete Dagmar und nahm einen Schluck von ihrem Sekt.

»Ich hatte mich gleich in dich verliebt, weißt du?« lächelte Demir traurig.

»Ich auch. Zuerst in deine Stimme, dann in deinen Akzent und in deine Augen, dann in deine Hände.«

»In meine Gastarbeiterhände?«

»In deine männlichen Hände.«

Sie umarmten sich.

»Oh, Demir, wie ich dich liebe, wie ich dich über alles liebe... Aber du mußt die Entscheidung treffen. Allein du.«

»Du machst es mir nicht leicht, Dagmar.«

»Es tut mir leid, aber so geht es nicht weiter. Ich kann dich nicht mehr teilen.«

»Was soll ich machen? Soll ich Sevim und die Kinder verlassen und endgültig zu dir kommen, für immer, willst du das wirklich?«

»Nein, ich will das nicht. Ich will nicht, daß du deine Familie meinetwegen verläßt.«

»Also willst du, daß wir uns trennen?«

»Vielleicht wäre das das beste für uns.«

Demir nickte zögernd, traurig.

»Dann ist diese Nacht unsere letzte Nacht«, flüsterte Dagmar. Ihre eigene Stimme klang ihr fremd.

»Aber laß uns sie genießen, bis zur Neige.«

»Bis zur Neige.«

Sie umarmten sich wieder. Draußen schlug eine Kirchglocke.

Viertel nach zehn, dachte Demir und vergrub sein Gesicht in das blonde Netz mit den feinen Fäden.

*

Es ist 22 Uhr 15, ertönte es aus dem Autoradio. Liebe Hörerinnen und Hörer, der Bayerische Rundfunk gibt nun eine Zusammenfassung der wichtigsten Meldungen des Tages.

»Heiße Scheiben sollen sie bringen«, rief Rolf, der es sich auf dem Rücksitz bequem gemacht hatte, Norbert am Steuer zu. »Eine tolle Prachtkutsche hat dein Architekt, echt wahr.«

Die Silvesterparty in Freising hatten sie längst vergessen. »Laßt uns lieber ein bißchen herumfahren«, hatte Norbert vorgeschlagen, und sie fuhren herum. Schon seit Stunden. Das Auto gab ihnen ein ganz anderes Gefühl von Freiheit als das Moped.

»Oh, Mann, ist das nicht dufte?«

So war es. Auch Turgut fühlte sich pudelwohl auf dem Rücksitz neben Rolf, geschützt und zugehörig.

»Wir bringen ja den Karren nach einigen Stunden zurück«, tröstete er sich, »wir tun nichts Böses. Der Architekt wird seine Kutsche in der Garage finden, wenn er zurück ist.«

»Wir werden verfolgt«, schrie Micha plötzlich.

»Verfolgt?« fragte Norbert gelangweilt, »von Bullen, was? Du solltest weniger Krimis glotzen, mein Lieber.«

»Echt wahr«, schwor Micha, »ich weiß nicht, ob's Bullen sind, aber zwei Wagen sind uns auf den Fersen.«

»Schmarrn«, zischte Rolf, »Herr Derrick persönlich, was?«

Ein Krampf zog durch Turguts Körper.

»Halt doch an«, rief er Norbert zu, »ich muß kotzen«.

»Ich kann nicht anhalten«, fluchte Norbert, »kotze doch in das Scheißauto. Tatsächlich sind die Bullen hinter uns her, zwei Streifenwagen.«

»Sie verfolgen uns, das stimmt«, bemerkte der betrunkene Sepp, »aber nicht, weil sie dahinter gekommen sind, daß wir den Karren geknackt haben, sondern weil wir zu schnell fahren.«

»Hoff'ma«, entgegnete Rolf.

»Fahr doch schneller, Mensch«, rief Turgut, »sie werden uns schnappen.«

»Schon geschehen«, antwortete Norbert, »es hat keinen Sinn.

Mann. Siehst du nicht, sie haben uns überholt und halten vor uns«.

Norbert bremste, die Räder quietschten auf der nassen Straße. »Ganz cool bleiben«, empfahl er seinen Freunden, während er die Fensterscheibe runterdrehte. Hinter dem Regenschleier erkannte er ein ausdrucksloses Gesicht mit einem dünnen, hellblonden Schnurrbart. Der junge Polizeibeamte in seinem langen weißen Regenmangel erinnerte ihn an ein Gespenst.

»Ihre Ausweise bitte«, befahl der Polizist.

»Hier sind sie«, flüsterte Norbert, kreidebleich.

»Ich muß kotzen«, stöhnte Turgut.

Der Regen trommelte auf das Autodach, und der Wind brauste durch das halboffene Autofenster.

*

»Es muß doch eine Pistole geben«, dachte Sevim, »in irgendeiner Schublade im Schrank.«

Die Kinder schliefen schon, und Sevim saß regungslos vor dem Bildschirm, auf dem ein Silvesterball live übertragen wurde, mit lachenden, schick angezogenen Menschen. Sicherlich war die Hure Dagmar genauso entzückend wie diese Frauen auf dem Bildschirm, genauso schlank und hochgewachsen.

Die Tanzenden schienen sich wie im Zeitlupentempo vor Sevims Augen zu bewegen. Zwischendurch wurde ein großes, rundes Ziffernblatt eingeblendet.

Die apathische Stimmung kurz nach Demirs Anruf war in panische Angst umgeschlagen. Sevim hörte weder den strömenden Regen noch den starken Wind, sondern nur die Schüsse, die Vorboten des Bombenangriffs. Die kurz aufflammenden und wieder erlöschenden Feuerspuren am nächtlichen Himmel versetzten sie in einen unbeschreiblichen Angstzustand. Sie hatte in diesem Land nur Angst gehabt.

»Ich finde die Pistole und erschieße sie alle beide. Meinen Mann und seine Geliebte. Und die deutschen Zeitungen werden morgen nur von mir berichten, die kleine Sevim aus Altinli-Dorf bei Eskiserhir in den Schlagzeilen: Türkin erschoß ihren Mann und seine Gebliebte aus Eifersucht.

Was wird aber dann aus den Kindern? Ich im Gefängnis, Demir

im Grab. Wer wird dann für die Kinder sorgen? Meine Kinder würden zu Waisenkindern. Nein, das darf nicht sein. Nur den Kindern zuliebe werde ich ihn nicht töten, aber auf andere Weise bestrafen. Ich werde ihn verlassen. Mit den Kindern. Er wird die Wohnung leer finden, wenn er von seiner Geliebten kommt. Ich werde die Kinder und unsere Pässe mitnehmen, in das Auto einsteigen und nach Hause zurückfahren. Und wenn ich in der Türkei bin, werde ich einen Anwalt aufsuchen und die Scheidung einreichen. Meine Eltern werden zwar mit meiner Entscheidung nicht einverstanden sein, denn für sie ist eine geschiedene Frau eine Hure, was immer die Scheidungsgründe sein mögen. Aber ich werde es trotzdem tun. Vielleicht gehe ich gar nicht in mein Dorf zurück, sondern direkt nach Istanbul, in die Großstadt, wo die Menschen anders denken. Wenn ich so viele Jahre halbwegs mit Deutschland zurecht gekommen bin, werde ich auch mit Istanbul fertig. Ich werde schon für die Kinder und für mich sorgen.«

Noch eine Flammenwolke stieg vor den Fenstern auf. In weniger als zwei Stunden würde der ganze Himmel brennen, doch das war ihr jetzt egal. In zwei Stunden würde sie vor österreichischen Grenzpolizisten stehen und ihnen die Pässe vorlegen und dann weiterfahren – durch Österreich, Jugoslawien und Bulgarien nach Anatolien.

»Wach auf«, schüttelte sie ihre große Tochter an den Schultern.

»Was ist denn, Mami?«

»Nenn mich ›anne‹, du sollst dich daran gewöhnen.«

»Was ist denn los, warum weckst du mich mitten in der Nacht?«

»Aufstehen und packen sollst du.«

»Packen? Wieso denn? Laß mich schlafen, Mami.«

»Du sollst mich ›anne‹ nennen, verdammt noch mal!«

Sevim ohrfeigte ihre Tochter, dann küßte sie sie. Ein heftiger Weinkrampf hatte sie gepackt, große, heiße Tränen rollten über ihr Gesicht. »Aufwachen!« schrie sie ins Kinderschlafzimmer, »aufstehen und packen!«

Levent und die kleine Nesrin sprangen auf. Sevim warf irgendwelche Kleidungsstücke in die Koffer. War das nicht immer ihr geheimer, sehnlichster Wunsch gewesen, seit ihrer Ankunft in diesem Land: Die Koffer packen und zurück. Jetzt war sie stolz auf sich, daß sie diesen Traum endlich verwirklichte.

»Warum habe ich all die Jahre gewartet?« fragte sie sich und schrie: »Schnell, Kinder, schnell!«

Die nassen Straßen waren rutschig, und das Autofahren fiel Sevim schwer. Sie hatte zwar den Führerschein – auf Demirs Wunsch – schon vor Jahren gemacht, aber keine Übung am Steuer, weil immer Demir fuhr. Nervös drückte sie auf die Knöpfe am Steuer, bis es ihr endlich gelang, die Scheibenwischer in Bewegung zu setzen. Die Autobahn war leer, die Silvesterschießerei hörte man nicht mehr, nur den Regen, der in Strömen fiel. Sie fuhr Richtung Salzburg, konzentrierte sich völlig auf das Fahren und nahm weder die Musik noch die Stimme aus dem Autoradio wahr: Mit dem letzten Gongschlag war es 23 Uhr.

*

»Noch eine Stunde bis Mitternacht«, sagte der Ansager im Smoking auf der Bühne des Ballsaals, »und nun, verehrte Gäste, stellen wir Ihnen ein neues Orchester vor: Mustafa Kusçu und seine Freunde werden Sie durch die letzte Stunde des Jahres begleiten.«

Gönül blickte unruhig um sich und kniff die Lippen zusammen. Speisereste auf halbleeren Tellern auf den Tischen. In Öl schwimmende dicke, weiße Bohnen, Auberginenstücke, kalte Krusten von rasch verschlungenen Blätterteigpasteten. Menschen mit müden Gesichtern, die noch eine Stunde wachzubleiben versuchten.

Gönül warf die Stola über ihre Schultern und eilte durch den Ballsaal in einen Hinterraum, wo Ismet an einem dunkelgrünen Tisch mit einigen Männern, über Spielkarten gebeugt, zusammenhockte.

»Ismet«, flüsterte Gönül, »komm doch endlich zu unserem Tisch rüber. Was werden die Erdeners von uns denken?«

»Psst«, unterbrach Ismet seine Frau, »ich gewinne schon, mach dir keine Sorgen. Nun geh und amüsiere dich weiter.«

Er gewann also. Kein Grund zu Beunruhigung. Dennoch hatte Gönül ein merkwürdiges Gefühl im Magen. Vielleicht kam es ja vom fetten Fleisch des Döner Kebap oder von den scharfen Peperonis im Hirtensalat.

Als sie wieder im Ballsaal waren, hatten Mustafa Kusçu und

seine Freunde gerade Kasap havasi, das Metzgerlied, angefangen, die Abschiedsmelodie eines jeden türkischen Festes. Männer, Frauen und Kinder hatten auf der Tanzfläche einen großen Kreis gebildet und drehten sich harmonisch, zuerst langsam, dann schneller. Sie hatten ihre Müdigkeit überwunden und zeigten nun wieder ihr Temparament. Die Drehungen wurden schneller, die Stimmung ekstastischer.

Gönül stellte sich an die Spitze des Kreises und begann, mit dem Taschentuch zu winken. Sie feuerte die Tanzenden zu noch schnelleren Bewegungen an und heiterte sie mit Freudesschreien auf. Teils bückten sie sich und stießen mit dem Knie auf die Tanzfläche, die Melodie laut mitsingend, teils sprangen sie auf und schwebten durch den verrauchten Saal, all die Stunden und Jahre am Fließband für einen Augenblick vergessend. Der Haß, die Feindseligkeiten, das Heimweh, die Leiden, all das schien plötzlich so weit weg.

Gönül verlor das Gefühl für Raum und Zeit. Sie lief durch die steinigen Gassen von Adana mit Blutstropfen an den Fingern und stampfte zugleich auf der Tanzfläche des Starnberger Ballsaals.

Ein langer Abend, eine lange Nacht... Gönül hatte sich so glücklich gefühlt, bis einige Männer an den Tisch kamen, an dem die Dalamans und Erdeners saßen und sich amüsierten. Zuerst hatte sich Gönül nichts dabei gedacht. Kollegen von Ismet wahrscheinlich. Diese dunkelhaarigen und dunkeläugigen Männer, Landsleute, waren tatsächlich Geschäftsfreunde von Ismet. Sie hatten Gönül höflich begrüßt und ihre Hand geküßt. Männer mit europäischen Manieren. Gönül hatte sie sogar liebgewonnen. Dann aber hatten diese Männer Ismet einige Worte ins Ohr geflüstert und mit dem Kopf auf die hintere Seite des Ballsaals gezeigt. Gönül hatte nur einige Wortfetzen mitbekommen, doch das hatte ihr gereicht, um zu begreifen, worum es ging.

»Um Gottes willen Ismet, du wirst doch jetzt nicht Poker spielen.«

»Nur eine Runde, Frau, reg dich nicht auf.«

»Wirst du mich hier bei den Erdeners alleine lassen? Das wäre unhöflich?«

»Ich komme ja in einer halben Stunde zurück. Spätestens.«

Eine halbe Stunde? Gönül schaute nicht auf die Uhr, weil sie die Spielsucht ihres Mannes kannte. Doch der Ansager erinnerte sie immer wieder daran, daß schon längst mehr als eine halbe Stunde vergangen war, seit Ismet am Spieltisch saß. Alle paar Minuten sprang er auf die Bühne: Noch eine Stunde bis Mitternacht, noch eine halbe Stunde bis Mitternacht... Und jetzt rief er ganz unverschämt: Noch eine Viertelstunde bis zum neuen Jahr.

Gönül hatte versucht, sich die Zeit zu vertreiben. Sie hatte Tülin gezwungen, mit dem Sohn von Herrn Erdener zu tanzen, und es war ihr tatsächlich gelungen, die Tochter dazu zu bringen, sich ein wenig mit dem jungen Erdener auf der Tanzfläche zu drehen. Orientalische Walzer. Ich bin kein Rosenbaum, eins, zwei, drei, vier, im Hintergrund das traurige Klavier. Und wenn die Melodien heiter wurden, war sie selbst auf die Tanzfläche gesprungen, hatte ihre Schmerzen und ihre Sehnsüchte unter dem bunten Luftballonschmuck des Ballsaals im Tanz aus sich herausgelassen.

Hatte da nicht ein Landsmann gesagt: »Die Gönül kann doch Banu Serap in die Tasche stecken?« Und war diese Nachricht nicht zu Ismets Ohren gekommen, der sich, über Spielkarten gebeugt, mit zitternden Händen den Schweiß von der Stirn wischte.

Deine Frau führt Bauchtänze vor.

»Na und?« hatte Ismet gebrummt.

»Er gewinnt ja doch«, sagte sie sich und drehte sich im Abschiedsreigen. »Die letzten Minuten bis zum neuen Jahr«, sagte der Ansager im Smoking. Das Orchester stand still, alles stand still, wartete. Gönüls Herz pochte.

*

Sevim holte die Pässe aus ihrer Tasche, als sie in der Dunkelheit der eiskalten Nacht die Schranken und Schilder erkannte: Freistaat Bayern/Bundesrepublik Deutschland, und gleich dahinter: Republik Österreich. Bei der Ausreise machen sie sicherlich keine Schwierigkeiten, dachte sie. Die Kinder schliefen auf dem Rücksitz des Wagens.

Turgut versteckte sich hinter Rolfs Rücken, während die jungen Polizisten in den Ausweisen seiner Freunde blätterten. Er hatte seinen Ausweis nicht dabei, und selbst wenn er ihn dabei gehabt hätte, hätte er ihn nicht gezeigt, weil er als Ausländer nicht auffallen wollte.

Einer der Polizisten hielt seine Taschenlampe auf Turguts Gesicht. »Und wer ist das?«

»Das ist der Toni«, antwortete Micha.

»Toni was? Hat der Bursche keinen Nachnamen.«

»Jetzt ist der Ofen aus«, dachte Turgut, die Angst saß ihm in der Kehle.

Noch einige Minuten, dachte Demir, genieße ich das Glück, und dann ist es aus. Für immer. Vielleicht ist es sogar besser so. Für uns alle, für Dagmar, für Sevim und die Kinder, auch für mich. Ich kehre zurück zu meiner Familie.

»Hat der Bursche keinen Nachnamen?« wiederholte der Polizist mit dem dünnen, hellblonden Schnurrbart. Im Licht der Taschenlampe erkannte Turgut die wie Glasperlen leuchtenden Augen des Beamten.

Da sah Gönül ihn, Ismet, torkelnd auf sie zukommen. Seine Jacke hatte er ausgezogen, die oberen Hemdknöpfe aufgemacht, die Krawatte war zur Seite gerutscht.

»Frau, soeben habe ich unser ganzes Vermögen verspielt.«

»Soll das ein Witz sein?« fragte Gönül zitternd, obwohl sie wußte, daß Ismet niemals Witze machte.

Ismet schwieg.

»Auch das Strandhaus in Mersin?«

Ismet nickte.

»Und den Obstgarten?«

Ismet nickte wieder.

»Aber nicht den Mercedes?«

»Den auch, verdammt noch mal, ich sagte doch, unser ganzes Vermögen.«

Gönül spürte nur ihren Magen, sonst war ihr Körper wie tot. Kein Blut schien mehr durch ihre Adern zu fließen, das Herz stillzustehen. Sie wollte in den Waschraum gehen, um sich zu übergeben, als die Lichter ausgingen. Zuerst hörte sie das Kirchengeläute, dann wurde es vom Krachen der Böllerschüsse übertönt, die ihr wie Artilleriegeschosse in den Ohren klangen. Der Himmel färbte sich rot, blau, grün, gelb und lila und schien zu brennen. Fröhlich rief der Ansager im Smoking: Ein gutes neues Jahr.

Ein gutes neues Jahr, lachten auch die Gäste und umarmten sich. Das Orchester spielte leichte, fröhliche Melodien, und die Kirchenglocken schlugen in Gönüls Gehirn ein wie die Bomben, die draußen pausenlos explodierten und mit grellen Flammen zum Himmel schossen.

Unter einem Flammenhimmel kam Sevim in Salzburg an und legte die Pässe dem Beamten in gelbgrüner Uniform vor. Er war ein sympathischer Mensch, der sogar ein paar Brocken Türkisch konnte. »Gute Reise«, auf Türkisch. Sevim hätte ihn umarmen können. Die Schranke ging hoch, und Sevim drückte auf das Gaspedal. Nun lag die Schranke zwischen ihr und der Feuerbrunst. Die Angst war vorbei. Sie hielt kurz an, stieg aus und schaute schadenfroh in das Land zurück, in dem der Brand wütete.

»Trümmer in Flammen, sonst nichts«, versicherte sie sich. Ein eiskalter Regen peitschte ihr Gesicht, den sie nicht einmal wahrnahm. Es war ihr gelungen, sich und ihre Kinder noch rechtzeitig vor dem großen Bombardement zu retten. Sie atmete auf und ging zum Auto zurück, deckte die schlafenden Kinder zu und setzte sich ans Steuer. Jetzt machte ihr das Fahren richtig Spaß.

*

Während der Rückfahrt nach München herrschte im Auto eine eiskalte Stille. Auch draußen war es still geworden. Die Schlacht war geschlagen. Hier und da detonierte noch ein verspäteter Feuerwerkskörper.

»Es ist bloß ein Alptraum«, versuchte sich Gönül während der Fahrt zu trösten, »morgen werde ich aufwachen und diese verdammte Silvesternacht nur geträumt haben.«

Nun standen sie vor der Wohnungstür, und Ismet versuchte mit zitternden Händen, die Wohnungstür aufzuschließen. Bereits draußen vor der Tür hörten sie das Telefon in der Wohnung.

»Nein«, flüsterte Gönül, »wer ruft um diese Zeit noch an? Es ist fast Morgen.«

Als es Ismet gelang, die Wohnungstür aufzumachen, rannte Gönül ans Telefon, dessen Klingeln noch immer die Nacht zerriß. Inzwischen war auch die alte Frau aufgewacht und schleppte sich mit schläfrigen Augen zum Apparat.

Ismet nahm Gönül den Hörer aus der Hand: »Ja bitte? Hier Dalaman. Wie? ob ich einen Sohn namens Turgut habe?«

Gönül, die hinter ihrem Mann stand und aufgeregt lauschte, dachte zuerst: Ein Unfall. Entweder liegt er schwerverletzt im Krankenhaus, oder – oh, mein Gott, allmächtiger Gott, laß ihn bitte nicht tot sein, meinen einzigen Sohn, meinen Turgut.

Der Gedanke, daß Turgut verunglückt sei, stürzte sie von einem Alptraum in den nächsten. Plötzlich hatte sie vergessen, daß Ismet gerade sein ganzes Vermögen verspielt hatte. Nur mit Turgut beschäftigten sich jetzt ihre Gedanken, nur Turgut zählte noch.

Die alte Frau, die nicht ganz mitbekommen hatte, worum es ging, stand mit bleichem Gesicht an der Türschwelle.

Nur Wortfetzen aus Ismets Telefonat drangen an Gönüls Ohren. »...gestohlen... mein Sohn... Ich habe keinen Sohn, Herr Kommissar, ja, Sie haben richtig gehört. Ich habe ihn soeben verstoßen...«

Ismet hing den Hörer auf und ging schwankend an die Hausbar. Seine Stirn war heiß, das Blut klopfte in den Schläfen.

Er nahm eine Flasche Whisky in die Hand.

»Um Gottes willen, Ismet, was ist los?« brachte Gönül mühsam heraus, »ist er tot?«

»Tot?« schrie Ismet.

Die alte Frau ließ sich auf das Sofa fallen und bedeckte ihr Gesicht mit den faltigen Händen. Tülin setzte sich leise neben sie.

»Oma«, flüsterte sie. Aber die alte Frau reagierte nicht.

Es ist etwas Schreckliches passiert, dachte sie, das habe ich immer geahnt. Dieses Hundeleben mußte so ein Ende nehmen.

Die ganze Nacht war sie Zeugin des Weltuntergangs gewesen und hatte seine zerstörerischen Kräfte über der Stadt beobachtet.

Ich habe also nicht geträumt, dachte sie. Sie brachte kein Wort mehr heraus, ihre Zunge war bewegungslos, es brannte ihr im Hals.

»Ich wünschte, er wäre tot«, kam es eiskalt aus Ismet.

»Willst du mir immer noch nicht sagen, was passiert ist?« stotterte Gönül.

»Er hat ein Auto gestohlen und ist von Polizeibeamten festgenommen worden. Wir sollen ins Präsidium, um ihn zu identifizieren. Nach der Verhandlung werden sie ihn ausweisen.«

Endlich kamen die Tränen, langsam, leise und weich. Sie rollten über Gönüls rot angemalte Wangen und tropften auf den Kragen des Pelzmantels, den sie noch immer nicht ausgezogen hatte. Das waren die Tränen, die sie die ganze Nacht in sich gespürt hatte. Plötzlich hatte Gönül den Wunsch, in die Heimat zurückzukehren, endgültig. »Wir haben in diesem Land nichts verloren außer unserer Jugend und unseren Träumen«, dachte sie. Dann aber erinnerte sie sich, daß kein Strandhaus, kein Obstgarten am Mittelmeer mehr auf die Familie Dalaman warteten.

»Alles war umsonst«, stellte sie bitter fest, »all die harten Jahre in der Möbelfabrik, all die Träume des Rosenmädchens mit den blutigen Fingern.«

Ismet füllte sein Glas mit Whisky und ging zum Fenster. Im schwachen Schimmer der Morgendämmerung sah die Stadt aus wie nach einer Schlacht.

Nur ein einziger Mensch war auf der Straße zu sehen, ein Landsmann im ockergelben Regenmantel, mit einem langen Besen in der Hand, der die Trümmer der letzten Nacht wegfegte. Vielleicht pfiff er ein Lied vor sich hin. Ein Heimatlied.

Ismet drückte seine heiße Stirn gegen die kalte Fensterscheibe. Da erkannte er an der Kreuzung noch einen Landsmann, den er sogar flüchtig kannte. War das nicht Demir, der tüchtige Ingenieur aus Eskisehir? Die Nacht mit der Geliebten verbracht, kehrte er nun zu seiner Familie zurück.

»Für immer«, dachte Demir, »kehre ich zu Sevim zurück. Ich werde sie um Verzeihung bitten. Ein neues Jahr hat begonnen, und ich werde versuchen, ein neuer Mensch zu sein. Ich werde sie gut behandeln, nett zu ihr und den Kindern sein. Und wenn ich's mir so überlege... Ich habe sie doch einmal richtig geliebt. Ach, meine kleine Sevim.«

Plötzlich fühlte er sich so glücklich, daß er alle Menschen umarmen wollte. Aber weit und breit war niemand zu sehen. Plötzlich entdeckte er im fahlen Licht des werdenden Tages seinen Landsmann im ockergelben Regenmantel und begrüßte ihn auf Türkisch.

»Merhaba«, erwiderte dieser seinen Gruß, und Demir fühlte sich federleicht. Die ganze Nacht hatte er Deutsch sprechen müssen, und einige Worte seiner Muttersprache taten ihm nun so gut, so gut...

Die Stadt erhellte sich langsam und gewann wieder Gestalt mit ihren Trümmern und ihren breiten Straßen. Als ob hier gestern

Nacht keine Schlacht getobt hätte. Aus rauchenden Trümmern stieg eine Stadt auf, die wieder zu leben begann. Irgendwo läuteten Kirchenglocken. Seit Tagen schien die Sonne zum ersten Mal. Eine weißblaue Straßenbahn fuhr leise an Demir vorbei.

»Vielleicht steht die Teekanne schon auf dem Herd«, dachte Demir, »wir essen ein königliches Frühstück mit Schafkäse und Oliven.«

Mit diesen Gedanken fand er sich vor seiner Wohnung wieder. Er überlegte, ob er läuten sollte. Vielleicht schliefen aber Sevim und die Kinder noch. Demir suchte nach einem Schlüssel, dann merkte er, daß die Tür nicht geschlossen war. Lautlos ließ sie sich öffnen.

»Sevim«, rief Demir.

»Sevim«, antwortete das Echo der Leere, der endlosen, leblosen Leere.